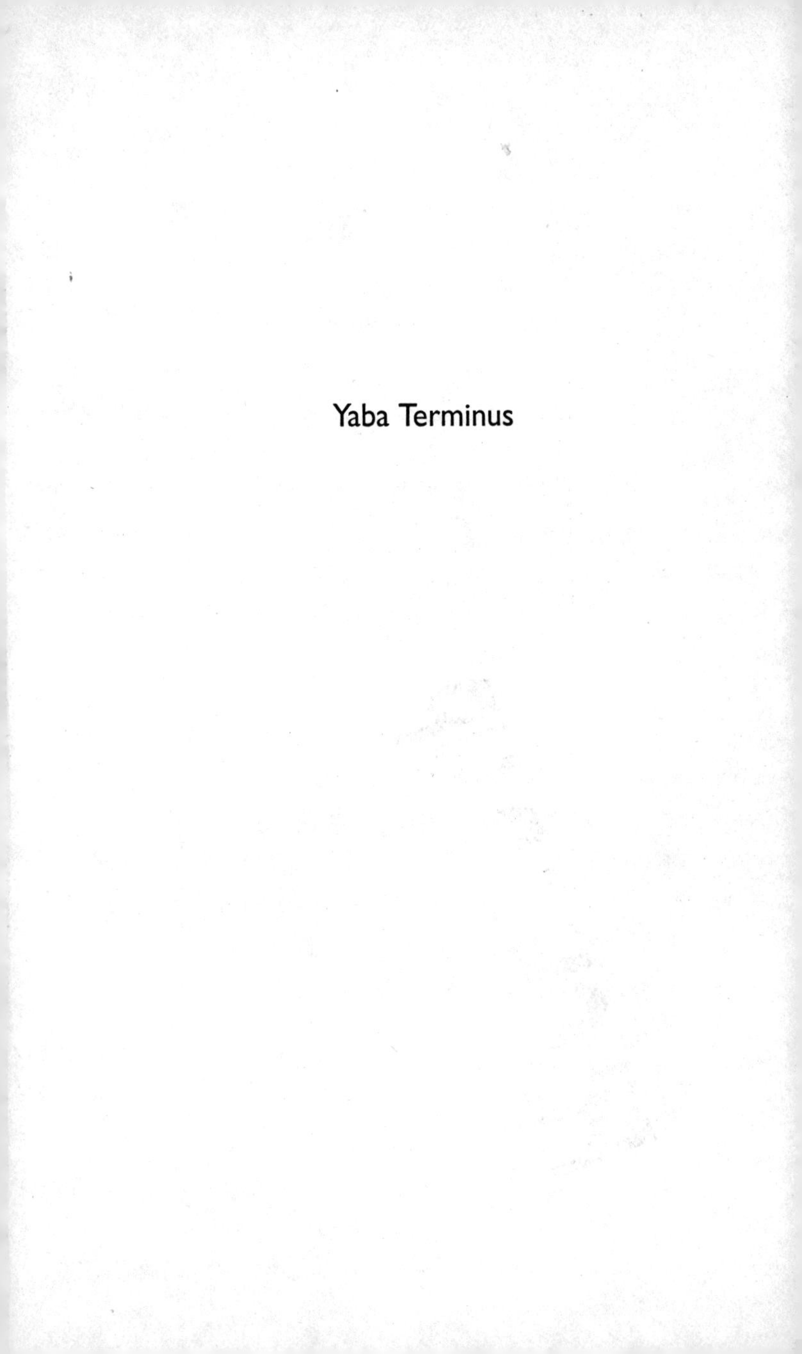

Yaba Terminus

Du même auteur

Kin-la-joie Kin-la-folie, L'Harmattan, 1993

Agence Black Bafoussa, Série Noire, 1996

Sorcellerie à bout portant, Série Noire, 1998

Achille N'Goye

Yaba Terminus

Nouvelles

LE SERPENT A PLUMES

Collection Serpent Noir
dirigée par Tania Capron

N° ISBN : 2-84261-098-9

Couverture réalisée par Alexandre Courtès

LE SERPENT A PLUMES
20, rue des Petits-Champs - 75002 Paris
http://www.serpentaplumes.com

Yaba Terminus

I

DÈS LE COUP de sifflet, Midy se fia à son flair de femme et conclut à l'imminence du danger. L'instant d'après, une galopade tumultueuse, suivie de l'éclatement d'une porte, la paralysait. La gazelle revit aussitôt, comme dans un court-métrage, des scènes vulgarisées par la soldatesque de tous les pays, des scènes de viol et de tuerie souvent perpétrées en présence d'un témoin ou d'une caméra affichant, sur le coup, sa neutralité ; ruse de faux-derches destinée à procurer un max d'émotion aux oasis de paix.

Les structures du vieil hôtel craquèrent dans la foulée, plongeant la nana dans une terreur panique : des chaises qui crissent, basculent, trahissant des présences voulues discrètes ; des ombres qui surgissent dans les couloirs, s'interpellent, rameutent les proches, déboulent dans les escaliers, déménagent dans un désordre apocalyptique; des mômes qui chialent d'un réveil nocturne aux taloches et braillent à tout casser, inconscients de compromettre une fuite embrayée en douce.

Dans sa terreur, Midy crut entendre quelqu'un lui crier de mettre les cannes: le groupe d'intervention de la Military Police (MP) cernait l'hôtel. La greluche se remua à la seconde. Les gestes fébriles, désordonnés, elle rejeta le drap et sauta hors du lit. Son pagne resserré autour du buffet, elle perdit un temps fou dans la recherche d'une blouse, finit par en dénicher une et l'enfiler, non sans râler au constat qu'il s'agissait d'une marinière, puis bondit, hors d'haleine, vers la fenêtre.

Chevelure défaite, frêle dans sa vareuse pour femmes fortes, Midy ressemblait à une poupée mal fagotée. Elle se dressa sur la pointe des pieds, se pencha à la fenêtre. La vue de la scène la pétrifia: la sortie de l'hôtel, d'ordinaire un trou à rats, s'illuminait sous deux projecteurs posés sur un camion de la terrifiante MP. Vingt, trente, peut-être bien une compagnie de gâchettes faciles, grouillaient autour. Les poulets ne faisaient aucun mystère quant à leur mission de nettoyer l'hôtel. Postés à l'entrée, certains d'entre eux cueillaient les bougres, déboussolés, qui voulaient décamper sous les feux de la rampe. Rudoyés, jetés par terre, les fuyards échouaient, sans trop savoir comment, sous la bâche d'un camion de ramassage. Pendant ce temps, un commando investissait l'hôtel. À entendre les cris et les supplications, la MP garnissait son tableau de chasse tambour battant.

Les assiégeants soulevèrent tout à coup les têtes, obligeant Midy à reculer de son perchoir. Trois, quatre, cinq clients du troisième étage passèrent en voltige, avant qu'elle n'ait conclu son mouvement, et s'écrasèrent au sol. Sinistre. Une clameur s'éleva parmi les badauds, tenus à distance hors de l'enceinte de l'hôtel, tandis que les flics accouraient.

Trois cascadeurs restèrent sur le carreau, désarticulés, le quatrième s'écroula après avoir tenté de se relever, le cinquième amortit sa chute sur son prédécesseur. Le veinard prit pied à la minute et, toute honte bue, traça dans la nuit. Un MP se lança à ses trousses. Mais la vue de la foule anéantit son ardeur : le zorro aurait vite fait de s'évanouir parmi la cinquantaines de migrants clandestins qui, chaque heure, s'infiltrent dans la ville.

Midy n'hésita pas. Son pagne replié sur les cuisses, elle se hissa sur le rebord de la fenêtre, prit la température au sol : des flics s'affairaient autour des blessés, après les avoir évacués vers les camions, laissant leur point de chute sans surveillance. La gazelle concentra son attention sur le carré, s'apprêta au saut périlleux. Une frousse indicible la figea au moment de passer aux actes. Les doigts accrochés à l'encadrement, elle s'accroupit afin de contenir sa frayeur. Sa porte fut fracassée à cet instant. L'assaut final. Midy se cramponna au cadre avec l'énergie du désespoir, tourna la carafe. Le temps de percer l'obscurité et d'y voir clair, un sentiment intense de sécurité la parcourut. Dieu ne l'avait pas abandonnée : Checain Tamba, son fiancé !

L'ange gardien lui susurra un chut ! en fusant dans la pièce. Il la rejoignit rapidement, la saisit à la taille et, réglo avec son épate sur sa bravoure, sauta dans le vide. La vue des uniformes, honnis sous toutes les latitudes pour leur choix délibéré dans le mauvais camp, arracha un cri pathétique à la greluche…

« Calme-toi, Midy ! marmonna une voix à son oreille. Encore un mauvais rêve… »

Midy, le visage en sueur, ouvrit ses clignotants et reconnut Mère Six, qui lui tamponnait le front avec une serviette. Elle poussa un soupir, referma les paupières et se retourna dans le lit. Deux minutes après, elle revenait à sa position initiale. Les yeux rouverts, braqués sur la femme, un sourire se dessina sur ses lèvres.

« T'as quelle heure ? s'enquit-elle dans un murmure.

– Deux heures trente-cinq. Tu délires pratiquement depuis que tu t'es couchée… »

La gazelle nota les traits tirés de sa colocataire. Taille moyenne, forte, Mère Six tournait le dos à la lumière, la poire à l'opposé de la fresque maltraitée par les pommades éclaircissantes.

Née à l'aube des années soixante, d'où son surnom de Mère Six, la matrone n'avait pas atteint l'âge de douze ans qu'elle boutiquait son corps. À ceux qui, aujourd'hui, jasent sur sa dérive précoce, la vieille gloire rétorque par une déclaration d'identité : comment déroger à sa tradition quand on est môme, partant, irresponsable ? Avait-elle seulement conscience du caractère prétendument dégradant de son petit biz, lequel restait après tout vital pour les siens ? Et d'arguer, convaincue de faire mouche, qu'il existe bien des tribus de toubibs, d'instits, de truands. Pourquoi pas des clans de matelas ambulants ?

Mère Six n'avait gardé aucune amertume de ses revers, repartant toujours de zéro, même quand une nouvelle impasse se profilait à l'horizon. Jusqu'à ce qu'elle réalise que son étoile pâlissait de jour en jour, ternie par une paupérisation lente, implacable, qui pénalisait sa clientèle autant que sa carrière. Avec le risque de la larguer sur une voie de garage, démunie, bien qu'elle se considérât toujours d'attaque. Elle avait alors tenté cette sortie ultime, hors du pays, pour conclure en beauté. Loin d'être enrayée, la machine carburait à plein rendement. L'approche de la quarantaine avait du reste moulé ses formes et les avait galbées, transformant son bifteck en étalon.

« T'as encore fait un cauchemar, lâcha Mère Six en brisant le silence. Et t'as de la fièvre.

– Passe-moi une aspirine, s'il te plaît…

– Faudra que t'en parles au pasteur. Le plus tôt sera le mieux. Les cauchemars à répétition couvent un mal sournois. Or tu les fais depuis ton arrivée… »

La vieille gloire se dirigea vers la kitchenette, dans un angle proche de la fenêtre. Elle puisa de l'eau dans une cruche, trifouilla dans une valise et y piocha une boîte d'aspirine. De retour auprès de la fille, elle attendit que celle-ci se relève pour lui tendre le verre. Midy s'en empara d'une main fébrile, avala le cachet. D'une brusque pression sur le coude, elle recula dans le lit, s'adossa au chevet. Elle resta un moment abrutie, la tête contre le mur et les yeux atones, tandis que ses épaules s'affaissaient dans un mouvement d'abandon.

À dix-neuf ans, Midy en affichait cinq de moins, séquelles d'une malnutrition infantile tenace. Malgré la finesse de ses traits, sa figure accusait les rigueurs d'une vie menée au pas de course, chose perceptible dans son regard hardi. Une gueule boudeuse déridait son minois pour le moins chafouin. Ses mandarines, telles des bananes naines, pointaient sur une poitrine rachitique. Sa voix chaude, quoique par moments acrimonieuse, signe évident d'un ras-le-bol des frustrations emmagasinées, restait cependant engageante.

Midy sortit subito de sa torpeur et surprit la matrone dans son observation. Elle s'empressa de lui remettre le verre, espérant ainsi la distraire. Remarquant sa poitrine exposée aux vents, elle la couvrit en vitesse et se glissa sous les draps.

« Confie-toi au pasteur, Midy. La malédiction jetée par tes vieux te poursuit. Y a pas de doute là-dessus. Les tiens ne vont pas aplatir le coup de sitôt. À mon avis, y a qu'une séance d'exorcisme pour t'en libérer…

– Tu m'vois raconter ces vacheries à quelqu'un ? J'en mourrais de honte…

– Nous vivons ici en famille. Personne, dans ce trou où nous avons sombré, n'est un ange. Cela vaut pour le pasteur aussi bien que pour le président. Au fait, tu pourrais, demain, te confesser au culte. Je peux arranger ça. Ça libère des obsessions.

– J'y arriverai jamais !

– Des crapules y parviennent et retrouvent la paix intérieure. Cette paix, t'en as grandement besoin. N'oublie pas qu'on est loin de chez nous et qu'il faut se secouer pour vivre. La vie d'ici est plus dure que là-bas. Sans un kobo[1] ni de quoi dasher[2], t'as aucune chance de crâner à Lagos.»

Tout en parlant, Mère Six avait contourné le paravent qui sépare les deux lits. Outre une armoire en tek massif, vestige de l'âge d'or de l'hôtel, placée contre le mur, la chambre comportait les plumards, un lavabo ainsi qu'une douche, tous deux hors service, la douche servant au finish de débarras. Les chaises avaient disparu, mais la table avait été convertie en meuble de cuisine.

La matrone souhaita une bonne nuit à Midy, puis s'arrêta net à la question inattendue :

« Dis-moi, Mère Six, t'es la maîtresse du pasteur ? »

L'interpellée resta un moment sans voix. Sa stupeur digérée, elle riposta avec le même argument.

« Pourquoi cette question ?

– J'ai vu ce baratineur entrer ici, l'autre nuit. J'ai tout entendu. Même quand il s'est approché de mon lit, dans le noir, pour s'assurer que je dormais… »

Un malaise, accentué par le silence de la nuit, plana sur la chambre. Il persista quelque temps, troublé par le bruit de fond des vagues du littoral et

---

1. Centième de naira, la monnaie nigeriane. (N.d.A.).
2. De dash, bakchich. (N.d.A.).

des véhicules. Mère Six revint lentement sur ses pas. Elle toisa la nana pendant une longue minute, mine de ne savoir quoi débiter, puis lâcha d'une voix désabusée :

« Écoute, Midy : je te considère comme une petite sœur, raison pour laquelle je t'ai prise avec moi à ton arrivée, il y a une semaine. Tout ce que je te demande, c'est de plonger dans le bain, même si l'eau est crade, afin de contribuer au paiement du loyer. À ce propos, je considère que tes vacances sont finies et qu'il est temps de bouger. Oublie ce que t'as vu ou entendu, et n'en parle à personne. »

Midy, qui ne s'attendait pas à cette douche, couva la matrone d'un regard hébété. Celle-ci regagna son coin en grommelant, se glissa sous une couverture. Quelques instants après, elle éteignait la lumière et, sans que rien le laisse prévoir, sortait de son mutisme.

« Au fait, pourquoi as-tu traité le pasteur de baratineur ? A-t-il essayé de te draguer ?

– Non ! réagit la gazelle, qui, à peine débarquée à l'hôtel, s'était vu pincer les totoches par le clergyman.

– Pourquoi alors le traiter de baratineur ?

– Ben… parce qu'il brode dans ses sermons…

– Tu mens, Midy ! T'as été qu'une fois au culte, et cela ne suffit pas pour porter un tel jugement ! »

Un bref silence s'ensuivit, après quoi la vieille gloire changea de registre :

« Qu'est-ce que tu fais demain ?

– On m'a demandé de passer un coup de balai

chez le malade du rez-de-chaussée. De quoi souffre-t-il, celui-là ?

– Un cas désespéré, ce pauvre Monteiro... »

Mère Six ne termina pas sa phrase, comme si l'évocation venait de lui rappeler la dure loi de l'existence. Mais le ton sec de sa reprise démonta la nana :

« Tu viens d'abord avec moi au culte pour tirer cette histoire au clair. Personne n'avale ici les kinoiseries. Tu passeras chez le malade après.

– Y a rien à remuer dans ce que j'ai dit, Mère Six. Et puis, le culte dure des heures et j'ai promis d'assurer dans l'avant-midi !

– Tu vas plutôt assurer au culte, compris ? »

II

Situé dans le quartier populaire de Yaba, bas-fonds de la métropole nigériane et paradis de sa population immigrée, le *Yaba Terminus* arborait ses trois étages décrépits, tel un monument ancien, dans un immense paysage de baraquements. L'entrée de l'hôtel s'ouvrait sur un réduit pourvu d'un comptoir, d'une télé et d'un réfrigérateur Westinghouse d'un modèle archaïque. Derrière le comptoir, accrochée au mur à hauteur d'homme, une étagère à trois montants alignait des verres, signe que le réduit servait également de bar, d'où les tables et chaises éparses sur l'espace opposé. Bien en vue sur le comptoir, un carton jauni affichait complet.

Deux couloirs perpendiculaires aboutissaient à la réception. Le premier, qui partait de l'accueil, menait aux chambres du rez-de-chaussée ; le deuxième passait devant l'escaliers conduisant aux étages, à droite du comptoir, et donnait sur l'arrière-cour. Les toilettes et douches communes logeaient dans cette partie de l'établissement.

Un Nigérian affable, inconnu de la plupart des clients, en assurait la gérance. Mais, par quelque curieux transfert de charges, le ménage et la police internes revenaient aux pensionnaires. Ceux-ci s'étaient regroupés dans une amicale des résidents, cadre, au départ destiné à dynamiser l'entraide et la fraternité entre les adhérents, qui, à la longue, coordonnait les activités d'intérêt général. Une équipe de six membres, tous éjectables et malléables à merci, veillait à sa pérennité sous la houlette d'un président-fondateur.

Deux ressortissants d'Afrique centrale avaient atterri au *Yaba*, il y a un lustre, pour un court séjour. Dix autres déboulèrent dans leur sillage en moins d'un an. Puis vingt, trente, quarante. Jusqu'à former un noyau dur de quelque soixante individus. Leur plus grand exploit fut d'éliminer du décor les nationaux et apparentés. La chambre étant payée au mois, ils en amortissaient le loyer en logeant à plusieurs, selon leurs affinités. Le doyen de la tribu dépassait la cinquantaine ; le vétéran, par ailleurs président de l'amicale et l'un des trois « Congomen » à rouler carrosse, revendiquait douze ans d'ancienneté. Quant aux dix-sept femmes, elles valsaient entre seize et quarante-deux ans, et certaines maternaient des mioches. Seize au total. Nés ici ou venus d'ailleurs. La tribu comptait trois couples légitimes, mais ceux-ci ne fournissaient que le tiers de ses babouins.

Les nationalités s'étaient également diversifiées au fil des ans. Angolais, Cabindais, ces derniers refusant obstinément d'être assimilés aux premiers, mais aussi Congolais et ex-Zaïrois composaient la communauté. Bien que provenant de zones linguistiques différentes, ils comprenaient tous le français ou le massacraient, et se targuaient de refléter leurs sociétés d'origine. Le club dénombrait effectivement deux ex-profs, sept déserteurs de l'armée, des étudiants désabusés, une pute déclarée, sans compter les chômeurs professionnels et les lascars qui considéraient leurs CV comme des secrets d'État.

La plupart des résidents étaient entrés clandestinement au Nigeria ou s'y étaient fondus avec un visa touristique. Ils se défendaient de vouloir s'y enraciner, alléguant, à cet effet, les expulsions massives qui revenaient de manière cyclique. Ils prétendaient en outre n'avoir rien à zyeuter, le mot « touristique » relevant de la pub mensongère. Fuyant une région sinistrée par la crise, l'incurie et les diktats du FMI, région en prime ravagée par des guerres et des épidémies, ils quêtaient des havres de paix, là où des gens apprennent à coexister après avoir longtemps croisé le fer. En transit pour le Nord, ils avaient échoué à Lagos afin de se remettre à flot. Leur viatique évaporé au cours d'une étape qui s'éternisait, ils vivaient d'expédients et consacraient leurs journées à peaufiner des magouilles. Pas de quoi nourrir un grand dessein. D'autant que l'ignorance du pidgin, la dureté de la mégalopole d'Afrique noire, la phobie des gangs nigérians ainsi que la peur du policeman les repliaient sur eux-mêmes.

III

Dès cinq heures du mat', le *Yaba* craquait sous les va-et-vient des lève-tôt. Vétérans, délurés, flemmards décidés à franchir le pas, se grouillaient en vue de monter au front. Trois quarts d'heure après, ils levaient l'ancre. Pour le port. Des bateaux mouillaient en rade pendant six mois, voire davantage, avant d'accéder aux quais et d'y être déchargés. Soustraites aux cargaisons par des matelots et des dockers sous-payés, des marchandises de toutes sortes s'y négociaient à prix cassés.

En possession de ces articles, les acheteurs rejoignaient des colonnes de mômes surnommés *chukwuemeka,* « Dieu a fait du bon boulot » en langue ibo. Grâce lui soit rendue ! Ces petits coquins hantaient les grandes artères de la ville, profitant des légendaires *go slow*, les embouteillages monstres de l'ancienne capitale du Nigeria, pour fourguer aux automobilistes des produits de contrebande : Tampax, réveils électroniques, montres, etc. Que la circulation soit fluide, chose impensable dans ce vivier du mal-développement, les diablotins pouvaient retourner la situation en leur faveur. Il suffisait, pour ce faire, de dégonfler le pneu d'un véhicule et provoquer fatalement un *go slow*. Bénéfique pour la classe ouvrière.

Pendant ce temps, les fainéants ronflaient dans leur lit. Réveillés à partir de neuf heures, ils se préparaient au culte quotidien qui, désœuvrement oblige, rassemble les expatriés dans une salle du voisinage de l'hôtel. Outre le prétexte offert aux meufs d'étrenner les super-wax, bazins et autres falbalas acquis sur place, ce culte dépêtrait les naufragés de la grisaille. Avec ses prêches, inspirés par les tribulations de ses ouailles, le pasteur, digne fils de la tribu et self-made-man en religion, opérait, chaque jour, le miracle de remonter le moral au peuple bloqué au terminus.

Sa toilette faite, pomponnée, Midy prévint Mère Six qu'elle allait l'attendre à la réception. Son sac en bandoulière, elle y surgit en cinq sec, tomba sur une salle vide. Les couloirs déserts déçurent son attente. Renonçant à son espoir de glaner des coups d'encensoir sur son maquillage, elle sortit de l'hôtel. Le soleil dardait ses rayons brûlants sur Lagos et la chaleur montait, de plus en plus étouffante, comme dans une chaudière. Midy rentra dans le local, s'accouda au comptoir. Dans un mouvement de tête, elle fonça à la chambre du malade.

La nana avait déjà veillé sur l'avarié. Le gars maigrissait à vue d'œil et son état fendait le cœur : sa poire, prématurément sénile, semblait servir au moulage de masques mortuaires. Clandestin, il n'avait pas voulu de l'hosto, laissant son mal le ronger à petit feu. Conscient de l'état désespéré de sa situation, il souffrait en silence, s'offrant parfois le luxe de sourire quand quelqu'un s'attardait près de lui. Il parlait alors par bribes, chaque mot semblant lui arracher le dernier soupir.

L'amicale avait tenté de le secourir. Son état s'aggravant et nécessitant un traitement conséquent, elle avait fini par jeter l'éponge. Avec des cotisants fauchés, la caisse d'entraide, au demeurant gérée par une trésorière douteuse, voyait ses ambitions à la baisse.

Dès son entrée dans la chambre, désertée par les autres locataires depuis des mois, Midy renifla une odeur familière. Son flair ne pouvait la tromper sur ce point : encore gosse, elle avait appris à guetter la mort autour d'elle, la reconnaître, la bluffer le cas échéant. Le rythme cardiaque irrégulier, le visage qui s'assombrit, l'âme qui décroche n'étaient plus un secret pour une gamine dont le milieu restait tributaire des épidémies.

La nana s'approcha du lit, constata le décès. L'espace d'un instant, elle parut désemparée et balaya la pièce d'un regard effaré. Elle se pencha à la fin sur la dépouille. Dans son combat ultime, le mourant avait glissé sur le côté. Midy bascula le corps au centre du lit. Après avoir fermé les yeux grands ouverts, elle essuya la bave, recouvrit le cadavre et disposa la tête sur l'oreiller, heurtant au passage un objet planqué dessous. Elle le tira : un passeport angolais au nom de Joâo Manteka, né à

Dolisie, République populaire du Congo. Mère Six, rumina la greluche, avait prêté un autre nom au moribond. Qu'est-ce que cela signifiait ? La photo était bien celle du défunt, alors pétant de santé, et le visa échu depuis un bail. D'un geste machinal, la nana glissa le document dans son blue jean. Elle sortit aussitôt, remonta au deuxième.

La vieille gloire n'avait pas encore fini sa métamorphose en putasse de luxe. Midy la mit au parfum et fut en retour soufflée de voir la caravelle, les yeux hors des orbites, perdre ses couleurs. D'une minute à l'autre, elle tournoya dans la pièce et se répandit en lamentations :

« On est fichus. Vraiment fichus. Qu'est-ce qu'on va faire ?

– C'est pour le rapatriement du corps que tu dis ça ? » questionna Midy ingénument.

La matrone fixa la nana de l'air désespéré d'une marmite dont la leçon pratique à une jeune mariée – comment secouer le popotin lors de la nuit nuptiale – dégénère en exhibition du twist again. Son dépit surmonté, elle accoucha d'une voix excédée.

« D'abord, t'avais pas à fouiner dans ce mouroir et je te l'ai dit. Qu'est-ce que ça te coûtait d'attendre après le culte ? Un connard serait tombé sur le macchab et t'aurais été peinarde. De plus, t'as pas cotisé pour lui payer le fret !

– Tu te mets en boule rien que pour ça ?

– C'est pas tout, fouille-merde : il faut un constat de toubib et d'un officier de police pour procéder à la levée du corps. Or, un flic voudrait aussi savoir qui et qui habitent l'hôtel, avec quels papiers… »

Les pendules ainsi remises à l'heure, Mère Six fonça vers la porte. Elle revint aussitôt sur ses pas. Pour fouiller dans son sac, chambouler la table de chevet avant de dénicher, évidemment dans le sac à main, l'objet de ses recherches : un vaporisateur. Les aisselles parfumées et la bouille soumise au verdict d'un petit miroir, elle sortit en crachant un ordre :

« Je monte prévenir le président. Il n'est sans doute pas au courant. Toi, tu restes là. Ne bouge surtout pas, sinon ça ne va pas être rigolo, mais alors pas du tout. »

Mère Six disparut dans le couloir en laissant la greluche dans le désarroi. La nana fit néanmoins montre de lucidité, puisqu'elle arracha la photo du document subtilisé et planqua celui-ci dans son sac. Une demi-heure après, sa colocataire rentrait dans la pièce, encore plus affolée, en compagnie de Ben Balewa.

Baraqué, le visage foncé et souriant, le présidentfondateur tenait un portable, son physique de malabar baignant dans une superbe djellaba. Le costume, de couleur mauve, lui prêtait l'air d'un authentique Nigérian, sa toison à la Wole Soyinka, digne fils du pays s'il en est, homologuant ce cousinage bidon.

Le mastard pénétra dans la chambre avec détachement, tandis que son accompagnatrice s'adossait à la porte après l'avoir fermée. La mise en scène détraqua la nana, toujours assise sur le lit, au point de regretter de n'avoir pas gardé sa découverte pour elle.

Midy avait déjà aperçu Ben Balewa à deux reprises. La première fois, elle ne l'avait pas flashé. Quelconque. La fois d'après, elle lui avait trouvé un look particulier, tant et si bien qu'elle s'était branchée sur lui. Le «présidium» (*sic*), lui avait soufflé son informateur, est un ponte. Nanti d'excellentes relations dans les sphères de la junte. Il s'est spécialisé dans la contrebande de pétrole, trafic auquel il cumule d'autres activités aussi douteuses qu'honnêtes. Personne ne connaît son vrai nom, Ben Balewa étant, selon des avis concordants, un nom d'emprunt destiné à s'accorder au ciel nigérian. Des histoires crapuleuses circulent sur son compte. Ses interlocuteurs craignent par-dessus tout ses coups de gueule, préludes à une explication musclée. Black Président, son pseudo depuis la disparition du fondateur de la dynastie, Fela Anikulapo Kuti pour ne pas le citer, passe alors sa fonction à la trappe.

Le président s'approcha de la gazelle comme un fauve en retard de collation. Ses yeux globuleux plantés dans le regard apeuré, il accoucha d'une voix faussement mielleuse:

«Petite, on ne se connaît pas, mais Mère Six m'a parlé de toi. En bien. Je constate qu'elle n'a pas brodé: t'es fraîche, suffisamment croquante pour qu'on sympathise.»

Déroutée par cette entrée en matière, Midy baissa les yeux devant le regard pénétrant, tandis que Ben se mettait à croupetons devant elle. Son haleine, polluée par un petit déj'à l'herbe, empesta l'espace de l'aparté. Le balèze laissa planer une minute de suspense. Le portable déposé sur le lit, il souleva sa main, mollo, mine de vouloir caresser le menton effilé. D'une pression subite de l'index, il redressa la boule baissée et bloqua le menton, obligeant la nénette à affronter son regard.

« Ce que t'as vu ne doit pas s'ébruiter dans l'hôtel. Entends-tu, ma petite chatte ? Personne ne doit le savoir. Il y va de ton intérêt, de celui de Mère Six, de tous ces cocos qui vivent ici. J'aurais souhaité que tu ne sois pas mêlée à cet aléa. Mais les choses étant ce qu'elles sont, je me sens obligé de t'enjoindre à la boucler.

– Z'avez pas à vous inquiéter, président, bafouilla la souris en tentant de se libérer. Je vais la boucler. De plus, je ne sais rien du défunt…

– Tu l'as touché ?

– J'aurais jamais osé, président.

– T'as rien piqué dans sa chambre ?

– C'est pas mon style : les trucs d'un mort sont vachement sacrés.

– Tu me rassures », conclut Ben en desserrant son étau, tandis que Mère Six roulait des yeux d'ahurissement.

Debout, sa grande taille dominant la gazelle, Ben Balewa trépigna d'indécision en dépit du quitus qu'il venait de donner. Conscientes que le plus dur se jouait à cet instant, les deux femelles se morfondaient dans une expectative angoissante, l'une conjurant le malabar dans son dos, l'autre ne sachant sur quel objet poser ses mirettes. Black President donna brusquement un coup de patte au parquet, dégelant l'atmosphère de manière imprévisible :

« J'ai ta parole, ma petite. Ne me déçois pas, car j'aime pas les entubages... Tu viens d'où ?

– De Kin.

– Ah ! s'écria Ben d'une voix amusée, c'est toi qui as floué tes vieux ! T'as pourtant une tronche à l'huile. Qu'est-ce que les apparences peuvent être trompeuses ! »

Midy ne réagit pas, jetant toutefois un regard de reproche à la matrone. Quelle salope !

« J'aime bien les petites dégourdies, reprit Ben Balewa, énigmatique. Mai-, fais gaffe : pas de crasses à la kinoise ici. Ça se paie très cher ! »

Après un bref silence, il vira aux actualités :

« Ça se passe comment, là-bas ?

– Toujours pareil : vie au ralenti, guerres alternées de pillages. J'ai rien connu d'autre.

– Normal quand les gens sont plongés dans un sommeil profond. On se croirait à l'époque précoloniale... Allez, les nanas, on se casse. Tous dans la Pidjott[1], sinon le pasteur va s'imaginer qu'on sabote sa séance de blabla. »

Midy se détacha du lit d'un seul élan et mit un peu d'ordre dans sa tenue. Entre-temps, Ben s'était approché de la vieille gloire et lui parlait à l'oreille, un œil malicieux sur la gazelle. Mère Six accueillit la confidence par un fou rire, puis ouvrit la porte.

1. Peugeot en pidgin (N.d.A.).

IV

La 504 parcourut rapidement la distance qui sépare le *Yaba Terminus* du lieu de culte. Ben surgit dans la salle, accompagné de sa suite, alors que le pasteur dopait ses ouailles avec l'espérance, son thème favori avec l'amour. Les amazones se faufilèrent dans la dernière rangée, tandis que le Black President piquait sur le prédicant. Parvenu à sa hauteur, il lui fit un signe du doigt, stoppant net sa tirade et le mettant en demeure de le rejoindre.

Trapu, le crâne endommagé par une calvitie corrosive, le pasteur ne payait pas de mine. Pur produit d'une désespérance qui engendrait des prophètes à la manque, Frère Jacob ne répondait à aucun modèle. Sa vocation, très tardive, reposait du reste sur une prétendue révélation, comme si le Dieu d'Abraham, faisant table rase d'un apartheid plurimillénaire, avait craqué pour un damné de la terre et l'avait élevé au rang de griot. L'étude en solo de la Bible, traduite par l'exploitation d'un terrain en jachère, creuset de toutes les détresses suscitées par des lendemains compromis, avait consolidé l'appel. Le denier du culte ainsi que des paumés lessivés de tout esprit critique l'avaient légitimé. Les voies du Seigneur restent insondables.

Le sermonnaire parut sidéré par ce qu'on lui rapportait. Les mains nouées sur l'embonpoint, il hocha la tête à plusieurs reprises et ne desserra pas les dents. Habituée aux intrusions du Black President, l'assistance mit la pause à profit pour cancaner. Au reste, le port du djellaba, en signe distinctif du muslim sous l'équateur, détonnait trop dans ce lieu voué à la Croix pour ne pas stimuler les commérages. Frère Jacob s'essuya le mufle au terme de l'aparté, retourna au perchoir. Quant à son compère, il regagna le fond de la salle, d'où il attendit que le prêcheur, ses esprits retrouvés, invite l'assistance à la prière avant de s'éclipser.

« Mes chers frères et sœurs, l'Éternel, dans Sa générosité sans bornes, nous donne la vie et en dispose selon Son gré, prouvant par là qu'Il reste le seul Maître de notre destin. Autant nous nous réjouissons d'une naissance ou d'un heureux événement, autant devrions-nous considérer le départ d'un des nôtres, aussi pénible et cruel soit-il, comme l'expression de Sa volonté et nous y soumettre avec humilité. Pour cette raison, prions pour les âmes de nos frères et sœurs qui nous ont précédés dans la maison du Seigneur... »

Alléluia ! Les fidèles fermèrent les yeux et soulevèrent les bras. Puis répétèrent l'oraison que Frère Jacob récitait pour le salut des disparus.

Midy espéra, tout au long de l'oraison, que celle-ci dérive sur le macchab de l'hôtel. Elle appela cette évocation de tous ses vœux, s'accrocha aux babines du prédicant. Entendre des cris étouffés, des reniflements ; voir des mouchoirs sortir des poches et des rivières de larmes couler ; frémir devant les pleurs ; jouir à la place du mort de la satisfaction de se sentir aimé. Mais la supplique s'acheva comme elle avait commencé. Vague.

La gazelle cogita sur les raisons de ce black-out. Selon les usages, des usages somme toute communs aux Bantous, peuple auquel appartiennent les expatriés, la survenance d'un décès devient le deuil de tout le monde. Impossible de s'y dérober ou de feindre l'ignorance. Quel crime avait donc commis le défunt pour être ainsi pénalisé ? Qui était-il et que faisait-il avant d'atterrir à Lagos ? Ces hommes et femmes réunis là acceptaient-ils de vivre, hors de leur univers, dans le mépris des règles qui les régissent ? Qu'adviendrait-il si quelqu'un, parmi eux, trépassait subitement ? Subirait-il un départ sans une prière sur mesure pour accompagner son âme dans l'au-delà ?

Aucun éclairage ne lui venant à l'esprit, Midy en conclut que son imagination la menait trop loin. Les choses devraient s'expliquer. Qui sait si, après le culte, quand tout le monde aurait regagné l'hôtel, celui-ci n'allait pas se transformer en chambre funéraire ?

La greluche battit tout à coup des paupières, se frotta les mirettes. Décor inchangé. Dans son trouble, elle se crut victime d'un mirage et redoubla ses cillements. Aucun élément ne bougea du tableau. Combien de temps s'était-elle absentée ? pensa-t-elle en roulant des yeux de panique. Qu'est-ce qui s'était raconté pendant sa rêverie ? Aurait-elle parlé comme dans ses cauchemars, à voix haute, ainsi que le lui rebâche sa colocataire ?

En même temps qu'elle se posait ces questions, Mère Six, qui se tenait à sa droite, raide dans sa posture de pénitente, lui donna un vigoureux coup de coude au flanc. Midy rouvrit les yeux, terrifiée au constat que la salle avait les regards braqués sur elle. Venait-on de dire quelque chose qui la concernait et qu'elle n'avait pas entendu ? Déphasée, elle crut s'être endormie debout, chose après tout impensable, vu que ses tentatives antérieures de pioncer sur une chaise, au cours d'une veillée funèbre, s'étaient soldées par un réveil brutal au sol. Un deuxième coup de coude la tira de son nuage. Midy s'ébroua la tête, lorgna la matrone et dirigea un regard angoissé sur le ministre du culte. Celui-ci, manifestement en attente de cette présence physique, embraya d'un ton coulant :

« Ma sœur, n'ayez crainte de rien. Nous sommes tous des enfants de Dieu, Ses pauvres créatures vouées au feu de la géhenne ou au salut éternel en fonction de notre attitude envers le Mal. Venez, sister, aux côtés de l'indigne serviteur du Seigneur. Forte de la bienveillance de cette assemblée de pêcheurs, venez solliciter le pardon pour vos péchés… »

Midy, pétrifiée, ne put cligner des yeux. À vrai dire, elle aurait voulu se terrer dans un lieu inaccessible. À défaut, voler hors de vue de cette meute friande de cachotteries d'autrui et prête à jouer les aficionados pour autant qu'elle se tienne, peinarde, loin de l'arène. Elle aurait souhaité s'évanouir tout de suite, laissant derrière elle une fumée opaque.

Mère Six la saisit par le bras et, sans qu'elle oppose de résistance, l'entraîna hors de la rangée. Elle la conduisit vers le prédicant, ses hauts talons martelant la travée dans un tac-tac lugubre. Frère Jacob les accueillit à bras ouverts, déclenchant illico un vibrant Gloria, dont le contenu et l'harmonie consommaient la ruine du chant grégorien.

La suite releva d'un scénario rodé. Le pasteur se glissa entre les deux femmes, puis entonna un chant de pénitence. Les sons d'une guitare et le martèlement d'une caisse embrasèrent le temple. Alors que des voix s'éclaircissaient ici et là, le public reprit confusément le chant. Puis se mit à chalouper avec indécision, ensuite de manière effrénée, endiablée, les bras ballottés avec frénésie. Les voix devinrent vibrantes, hystériques, insufflant à la séance une ambiance telle que le Grand Dab, en baba cool de première, ne put résister à la tentation de verser une larme.

Le pasteur empoigna les mains de ses invitées et les agita fébrilement. Midy se laissa driver, bougeant à peine ses pattes. Ses origines remontèrent tout à coup à la surface et le miracle s'accomplit. Inouï. Subitement décoincée, elle imprima à ses pas une allure résolue, déchaînée, comme dans les bas-fonds de Kin, où la maîtrise de la danse distingue le plouc du citadin et constitue un palier du civilisé. Les yeux fermés et les tresses balancées à tous les azimuts, elle parut planer, mue par le feu sacré, et se tortilla comme une possédée. Elle machina la croupe avec impudence, pivota sur ses hauts talons, battit des mains, gambilla au point de déborder d'un dixième de seconde dans sa prestation. Communion parfaite. Alléluia !

« Ma sœur, intervint l'orateur lorsque les dernières notes se furent envolées, nous procédons à cette séance chaque fois qu'une âme perdue rejoint la communauté. Par cette pratique, nous voulons resserrer nos rangs et nous rapprocher de Yahvé. En ce jour béni, il vous revient de nous relater les circonstances qui vous ont conduite jusqu'ici. Point n'est besoin de souligner que votre venue ne relève pas du hasard. Elle est, au contraire, une manifestation de la bonté infinie du Créateur, qui vous a déléguée auprès des incrédules pour témoigner de Sa générosité… »

La gazelle, qui s'était crue dispensée de cette épreuve après sa démonstration, rouvrit les paupières et décocha un œil incendiaire au pasteur. Elle s'essuya le visage, consulta sa chaperonne. Celle-ci renfrognant son mufle huileux, preuve que son choix était fait entre le copinage et le spectacle, Midy survola le public avec hardiesse. La gorge raclée, elle visa le fond de la salle et ne le quitta plus. Sa relation coula de source.

« Midy est mon prénom, Sala-Nguluzaku mon nom… »

La nénette ignora les murmures et gloussements de la salle, continua sur sa lancée :

« Personne, dans ma famille, ne porte ce nom ridicule. Mon père, pris de court par ma naissance avant terme, ne savait à quelle porte frapper : son patron refusait de lui filer une avance sur salaire. Incapable de trompeter son septième bébé, il s'est rabattu sur le slogan des prolétaires : ne compter que sur ses propres forces, ce qui ne l'a guère avancé. D'où ce nom fantaisiste, destiné à marquer sa longue marche merdique d'un repère. »

La salle, finalement attendrie, ne ricanait plus...

Scolarité bâclée, favorisée par les grèves chroniques du corps enseignant. La nana avait toutefois compensé ce handicap par un cours de secrétariat. Mais, avoua-t-elle avec désinvolture, elle n'était pas douée pour ce genre de trucs. Absence de notions de base. En dépit de ces conditions défavorables, ingrédients d'une dérive inéluctable, elle dégote un prétendant en préservant son petit capital. Checain Tamba, l'heureux élu, traficote aussi, à l'instar des mecs de son âge. Déluré, il réussit néanmoins à s'envoler, il y a un peu plus d'un an, pour la Belgique. Petits jobs, ballottement d'une piaule à l'autre. Malgré ces traverses, il se saigne aux quatre veines afin d'expatrier sa dulcinée.

La première fois, Midy ne voit pas le convoyeur de fonds. Disparu en dépit de sa bonne réputation. La fois suivante, elle décolle, débarque à Zaventem et s'y bute à Schengen : des papiers en règle, mais la touriste ne dispose pas de moyens de subsistance pour la durée de son séjour. La nana a beau clamer qu'elle a toujours vécu au-dessous du seuil de pauvreté sans jamais mendier, rien n'y fait. Refoulée. Par le même avion. Sans avoir entrevu la silhouette du bien-aimé, ni savoir qui allait rembourser son billet. Merde alors, elle ne l'avait quand même pas payé pour se taper dix-sept heures de vol non-stop !

Checain soupçonne un coup fourré de sa belle et le lui écrit. Il sait, en effet, que les conditions de vie au pays se sont dégradées au point que même les proches, des gens de toute confiance, excellent également dans les entourloupes. Sa déception ruminée, il propose à Midy de se rendre à Lagos, à ses frais, lui-même devant intervenir de cette ville pour l'évacuer. Une filière crédible y opérait. Placée au bas du mur, la gazelle bazarde la parcelle familiale à l'insu des siens, obtient du nouveau proprio un délai d'occupation d'une semaine, se casse.

Deux jours après, elle rôde dans les rues de Yaoundé, à la recherche d'un transporteur routier pour Lagos. Tous les renseignements la dirigent sur Bamenda, localité située à la frontière avec le Nigeria. Le tarif équivaut aux risques d'une entrée clandestine dans ce pays. Elle raque en dollars, affronte la tirée d'enfer: Calabar, Onitsha, Benin City, Ibadan. Après moult péripéties, elle atteint Lagos au cours d'une affreuse nuit de pluie et de tension, descend dans un petit hôtel où elle est dévalisée. La nana soupçonne un employé du vol. Mais son anglais calamiteux risquant de la trahir, elle renonce à porter plainte et se tire. Errance. Jusqu'à cette matinée maussade où, traînant dans une gare routière, elle assiste à une scène extra: une Nigériane massive, qui vient d'être carottée, rattrape son arnaqueur et lui tire à boulets rouges. Non pas dans sa langue maternelle, mais dans une de ces formules canailles en lingala ! La greluche n'en est toujours pas revenue. Bref, la mastodonte la branche sur le refuge des «Congomen», au *Yaba Terminus*, où elle débarque dans l'heure et tombe sur Mère Six. Le soulagement. Qui vire en angoisse: personne ne connaît Checain. Rien n'indique par ailleurs que l'hôtel constitue leur lieu de contact. Une semaine déjà…

Tandis que la salle scandait des alléluias, Midy, le regard toujours collé à son prompteur, perçut le bras qui, dans l'embrasure de la porte, s'agitait avec insistance depuis un moment. Reportant son attention sur le gus, elle surprit Ben Balewa en train de passer un message codé au Frère Jacob. Celui-ci n'avait pas encore remarqué sa présence. Mais, quand cela fut certain, il barytonna l'intro d'un cantique. La reprise assurée par l'assistance, il refila une corbeille à un quidam de la première rangée, puis se tient à l'écart, la mine absente mais les yeux fixés à la quête. Celle-ci faite et encaissée, il s'éclipsa. Midy se sentit délivrée après le départ de Frère Jacob: le quart d'heure d'explication voulu par Mère Six s'éloignait.

V

Un gospel interminable mit fin au culte. La vedette du jour fut entourée, félicitée pour son courage. D'une manière générale, les hommes comprenaient son geste, tandis que les femmes marmottaient ou lançaient des piques. Petit à petit, elles se regroupèrent autour d'une panthère en pantalon jaune tacheté de noir.

Bien roulée, snobinarde à vue d'œil, la frangine avait des tresses hautes, façon antenne de télé, ce qui lui donnait l'air d'une girafe. Sa bobine citron contrastait avec celle de Mère Six, de couleur papaye, produit d'un combat sauvage contre le teint bois d'ébène. Tirant parti de son ascendant sur le cercle, la fumelle ne mâcha pas ses mots à l'égard de l'intruse : Midy constituait une menace pour la communauté. Capable de jeter les siens, déjà mal lotis, dans la rue, que pouvait-elle ne pas torchonner aux tierces personnes ? Son roman de petit capital préservé sentait aussi le roussi. Par ce baratin, elle voulait s'offrir une tunique de vestale, histoire d'usiner en sous-marin à l'hôtel.

Son réquisitoire débité d'une voix éraillée, elle se tourna vers la gazelle et souleva sa poitrine avantageuse de manière à créer des complexes :

« Nous, pauvres conasses, on merde à Murtala Airport, sans espoir de décoller, et cette gourde mal sevrée prétend avoir été à Bruxelles ! Pour qui nous prend-elle ? »

L'assistance accueillit l'observation par un éclat de rire, auquel Mère Six ne put résister. Pas du tout démontée, Midy toisa l'effrontée de haut en bas, puis lança des regards féroces à la ronde. Encore môme, on lui avait appris à rendre la baffe reçue. Peu importe comment, le plus important étant que l'agresseur le paye cash : mordre, griffer, cracher, s'accrocher à ses nippes jusqu'à ce qu'elles partent en lambeaux. Mais la galerie lui semblait si hostile qu'une telle sortie se retournerait contre elle. Temporiser. Ménager sa présence à l'hôtel.

« T'es prévenue, ma cocotte, ajouta la panthère en grinçant des dents : tiens-toi hors de mes plates-bandes. Sache que t'es à Lagos et non au pays ! »

Le coup de semonce tiré, elle s'en alla avec avec ses groupies. Alors qu'ils venaient de se barrer, deux jeunots se détachèrent du cercle et revinrent sur leurs pas. La trentaine, bas du cul pour le plus tordu, l'autre, un grand timide, promenant son squelette dans le sillage du précédent, les pingouins abordèrent Midy avec un certain embarras : Shako venait de procéder à son baptême. Tout nouvel arrivant subissait ce rite intitiatique, les moins chanceux pouvant l'endurer à plusieurs reprises.

« Cela ne t'a pas empêché de te marrer comme un con, le reprit Midy.

– Je suis contre cette pratique à cause de son ton humiliant. Ces gens souffrent de voir leurs semblables fuir nos pays mis à feu et à sang, comme si cela les gênait. Ils préféreraient sans doute que tout le monde crève là-bas… »

Midy ne se contenta nullement de l'explication et se tourna vers sa chaperonne :

« C'est qui, cette Shako ? C'est la première fois que je la vois !

– La copine de Ben. Elle revient d'un voyage à Cotonou et Lomé. Bizarre qu'elle soit venue au culte : ça ne passe plus entre elle et le pasteur… »

Une lueur d'inquiétude apparut dans le regard de la jeune fille. Mère Six s'en rendit compte et, sans rien dire, la fixa d'un air interrogateur.

« Il se pourrait que Ben l'ait envoyée, spécula la gazelle.

– Qu'est-ce qui te le fait croire ?

– Tu lui as peut-être parlé, tout à l'heure, de ma confession publique. Comme il veut situer les gens qui débarquent ici, il l'aurait dépêchée à la séance pour en savoir plus.

– Je ne lui ai rien dit de pareil…

– Dans ce cas, il aurait appris la tenue de ma confession par le pasteur, puisque tu en parles depuis deux jours. Et puis, tu ne m'as pas dit que cette garce ne me supporte pas !

– Entre elle et moi, c'est pas non plus le grand amour : elle me traite de putasse alors qu'elle en est à son énième coco, qui, d'ailleurs, va la larguer… »

La matrone resta un moment silencieuse. Difficile de savoir ce qu'elle ruminait. Toujours est-il qu'elle reprit la parole sur un autre sujet :

« C'est quoi, cette histoire de voyage en Belgique ? Tu ne me l'as pas racontée !

– J'en avais pas vu l'importance. D'autant que personne, dans mon quartier, n'a avalé qu'on puisse l'effectuer en moins de quarante-huit heures. Je l'ai pourtant bel et bien fait.

– T'as donc été chez les toubabs ! Qui t'as vu là-bas ?

– J'ai vu des Blanchards partout, du moins dans la zone de quarantaine…

– Si tu veux mon avis, Midy, je vais te l'dire : t'es une sacrée mythomane. Même que, cet avant-midi, t'as prétendu n'avoir pas touché au… heuh !… au malade !

– …T'es trop, Mère Six ! »

Puis, prenant les garçons à témoin, elle corrigea :

« Est-ce qu'on ment quand on donne la réponse qu'on attend de vous ? J'aurais pu dire la vérité au président, mais il n'en voulait point… »

Les deux pingouins échangèrent des regards complices, puis escortèrent les meufs sur le chemin de retour. La 504 du Black President stationnnait devant l'entrée de l'hôtel, le coffre arrière grand ouvert. Sans explication aucune, Mère Six accéléra le pas, obligeant ses compagnons à suivre son rythme. Frère Jacob jaillit du *Yaba* en compagnie d'un zigoto. Une fois devant la tire, il lui indiqua le coffre et se tint à l'écart. Le zigoto se coltina des casiers de bière, rentra à l'hôtel avec son mentor.

« Tiens ! s'exclama Mick, le bas du cul, c'est pourtant pas le jour où ils chargent le frigo. On va quand même picoler !

– C'est toi qui payes ? questionna Mère Six sans diminuer son allure.

– Avec l'espoir que tu remettras, un jour ou l'autre, cette tournée que j'attends depuis deux ans !

– Ne compte pas sur moi, le gars. J'ai déjà donné ! Tu pissais alors dans les pagnes de ta mère !

– T'es qu'une raquedal, Mère Six. La preuve : depuis le temps que les Ouestafs font ta fortune, t'aurais pu t'offrir un aller-retour pour Jo'burg[1]. Or tu hantes toujours le *Yaba* !

1. Johannesburg (N.d.A.).

– Pourquoi veux-tu que j'aille dans ce trou-là ?

– Parce que Jo'burg est devenue notre Europe, vu que l'autre se barricade et ne veut pas de ta bouille jaunie ! »

À cinquante mètres de l'hôtel, la bande vit Frère Jacob et Ben Balewa ressortir en vitesse. Mère Six héla le pasteur d'une voix forte, mais celui-ci lui renvoya un signe de la main et s'engouffra dans la bagnole, qui démarra sur les chapeaux de roue.

La plupart des locataires avaient regagné leurs chambres et jouaient du soukouss, tandis qu'une dizaine d'entre eux campaient au bar, où ils consommaient des litrons de Guinness. La bande occupa une table en vue. Sous prétexte que celle-ci gênait les va-et-vient, Midy obtint de la déplacer dans un coin reculé, d'où elle disposait d'une vue extérieure. Alors que Mick se targuait d'une prochaine livraison de drogue, son copain, dénommé Tagar, ne cessant d'inviter les meufs à lever le coude, Midy gambergeait en reniflant : rien n'avait changé dans le train-train du *Yaba*. À croire qu'un mort ne gisait pas dans son lit.

Impatiente de clarifier la situation, la nana ouvrit les hostilités en fonçant aux vécés. À son retour, elle loucha sur la troisième porte à gauche et ne tiqua pas en la voyant fermée. Avec la chaleur, pensa-t-elle avec un pincement au cœur, le macchab devait entamer sa phase de décomposition.

Quelque temps après, Mick et Mère Six, soudés par la fortune imminente du premier, se rendirent à tour de rôle aux waters. Puis ce fut à

Tagar, bientôt relayé par la gazelle, de se plier à la visite non guidée. Midy n'y fit qu'un crochet, d'autant qu'elle ne ressentait aucune envie de pisser. Elle rentra dans l'hôtel en rasant le mur, précaution somme toute stérile, vu que le bar tututait allégrement. Elle se glissa dans le couloir, sentit une fois de plus la forte odeur qui planait dans le bar. Ne sachant à quoi l'attribuer, elle saisit la poignée, tourna et força la porte : le pêne s'incrustait dans la serrure. Elle força à nouveau sur la poignée. Aucun doute : la porte avait été fermée à clef. Après avoir refait le chemin inverse jusqu'aux vécés, elle regagna sa table encore plus intriguée.

Joâo aurait-il été transféré à la morgue ? Quand, comment, par qui ? Pourquoi ne parlait-on pas de sa mort ? Est-ce que Mick et Tagar le savaient ? Comment interpréter la sortie précipitée de Ben et de Frère Jacob du culte, ainsi que leur départ en cata du *Yaba* ?

Sans le vouloir, Midy décocha un regard torve à Mère Six, persuadée qu'elle faisait du recel d'information. Relevant la tête, la matrone intercepta le regard sournois et fronça les sourcils. Son visage brunit à la seconde, comme si elle avait deviné les pensées de la gazelle, puis s'illumina dans un sourire prêtant à équivoque :

« À quoi penses-tu, ma bichette ?

– On n'arrête pas de pomper sans rien mâchouiller, marmonna spontanément Midy. C'est comme au bled. Faudra peut-être penser à mastiquer quelque chose. J'ai une de ces fringales.

– Moi, je ne bouge pas d'ici tant que ce petit chéri offre à boire. Monte chauffer la marmite si cela te chante. Ne mange pas tout. »

Midy se leva sur-le-champ. Après une courte hésitation, elle retira ses chaussures, guigna à nouveau la vieille gloire, puis disparut dans l'escalier. Dix minutes après, absorbée par la préparation, elle n'entendit pas la porte s'ouvrir et sursauta à la voix de Mick. Le garçon, qui venait de proposer à Mère Six d'aller au resto, avait été chargé par celle-ci d'intéresser la Kinoise, qui, selon ses dires, avait un déficit de bouffe à rattraper. Midy regretta de ne pouvoir être des leurs, l'état de la cuisson exigeant sa présence.

« Mais alors, ça change tout, déplora le jeune homme. C'est pour toi que je sors mes cartouches...

– Comment ça ? T'es plus entiché de la vieille ?

– Simple tactique pour la coiffer. C'est toi que je vise. Le Checain ne va plus se manifester ! »

Midy encaissa sans sourciller. Elle n'en poursuivit pas moins sa besogne, ses petits doigts se révélant aussi agiles que ceux d'un cordon-bleu. Mick se désespérant de ne savoir comment annuler le plan resto, la gazelle pivota sur elle-même et, de but en blanc, lui demanda s'il savait que Mère Six cochonnait avec Frère Jacob.

« Ça ne m'étonnerait pas, répondit le freluquet : le mafflu a abusé de la plupart des frangines de l'hôtel, y compris cette snobinarde de Shako !

– Pas vrai !

– Plus grave, renchérit-il, il l'a culbutée dans la turne du président, et celui-ci, prévenu, les a surpris.

La dérouillée mémorable ! Mais comme Ben fricote avec le prêcheur, notamment dans l'approvisionnement du bar en bibines, c'est Shako qui a payé la trahison par la perte de son poste de “deuxième bureau”. Elle continue cependant à bosser pour lui.

– Décidément, ce Ben est un holding à lui seul, ironisa la nana. Il semble que la vieille se défonce aussi pour lui. Que peut-elle bien fabriquer ?

– Le président lui trouve des clients prêts à casquer un max de nairas pour sauter des marchandises de l'équateur. On les considère ici comme des produits importés. Quand ces deux-là sortent ensemble, c'est que la vache va turbiner et palper des artiches. Dommage qu'elle soit si radine.

– Pourquoi ce pasteur vicelard n'emmène-t-il pas ses proies dans sa turne ? Il en a une, non ?

– On suppose que sa taule préfigure l'antichambre de l'enfer, raison pour laquelle personne n'y entre.

– Un faux-cul. L'autre soir, il a limé cette vieille vache en ma présence. Fallait voir ça ! Pire que des chiens... Dis donc, Mick, pourquoi le bar fonctionne un jour inhabituel ?

– Va savoir ! En tout cas, le pasteur multiplie sa recette par ce biais ! »

Entrée en douce, Mère Six, qui avait suivi une partie de la crucifixion, toussota pour y mettre le holà, puis s'en mêla.

« Toi, Mick, tu sors d'ici tout de suite. Et ne m'adresse plus la parole. Quant à toi, la pucelle, t'as deux jours pour dégager. Me traiter, moi, de chienne ! Quel poison, cette gueule d'avorton ! »

D'un geste impérieux du doigt, elle écarta la nana de la table-cuisine et passa aux commandes. Midy, la mine des plus désolées, s'accouda sur le rebord de la fenêtre, la tête dans une main et le regard fixé sur sa remplaçante. La matrone s'appliqua à la préparation, en plaignant par moments son hospitalité mal récompensée.

Une voiture s'arrêta peu après devant le *Yaba*. Un taxi jaune, nota la jeune fille en tournant la carafe. La seconde d'après, elle frissonnait à la vue du passager. Frère Jacob. Souffrant le martyre pour extraire son encombrante bedaine du tacot. Un œil à Mère Six la rassura : baignée dans des volutes de vapeur, elle ne voyait rien de son angle. Le temps de ruminer un coup vachard, les circonstances ne lui permettant pas une explication casse-cou, la nana s'apprêta à jouer sa carte maîtresse.

Tout en lorgnant le tas de lard qui accédait à l'hôtel, Midy évalua le temps qu'il lui faudrait pour tchatcher avec un de ses fidèles, anesthésier un autre avec un verset, distribuer des sourires, monter. À 40° à l'ombre, le bonimenteur n'allait pas se laisser cramer dans le réduit. L'alcool ne le branchait d'ailleurs pas.

Son scénario synchronisé, Midy quitta la chambre et s'engagea dans l'escalier. Juste au moment où un poids lourd l'empruntait dans l'autre sens. La greluche descendit les marches en prenant son temps. Parvenue sur la marche palière comprise entre le premier et le deuxième étage, elle feignit la surprise lorsqu'un quidam la repoussa dans l'encoignure et lui pinça les nichons, non sans prévenir toute dérobade en la coinçant avec son gros ventre. La nana opposa une résistance passive et gloussa de bon cœur, après quoi elle se fit prudente :

« Mère Six t'a vu revenir en taxi. Elle t'attend… »

Le rappel à l'ordre eut pour effet d'établir un no man's land entre le pervers et la gazelle. Le clergyman canonna une œillade tordue au deuxième, zyeuta la souris avec appétit et, bien qu'il fût conscient des risques encourus, Mère Six passant pour une furie avec ses jules, tenta une nouvelle fois de pétrir les nénés. La jeune fille, son mauvais tour joué, ne ménagea plus le sagouin et le rabroua.

Le mafflu reprit sa montée, alors que la greluche dévalait l'escalier et fonçait aux toilettes. Manque de pot, Shako sortait de la douche, drapée dans une grande serviette. Quelques secondes durant, les deux nanas se toisèrent en silence. La panthère se forgeant au finish un masque de cannibale, la gazelle dévia de sa trajectoire afin de s'épargner d'une balle perdue.

« Grande sœur, lança-t-elle dans une improvisation risquée.

– Je n'suis pas ta grande sœur, coupa Shako. On doit avoir le même carat, toi et moi. Sauf que t'es restée embryonnaire.

– C'est la faute à mes vieux. Y connaissaient pas le lait Guigoz ! Au fait, Mère Six veut te parler…

– Qu'est-ce qu'elle me veut, cette roulure ?

– Une raison de la voir. Elle est dans sa chambre. »

La gazelle s'enferma aux chiottes, tandis que Shako reprenait sa marche vers l'entrée. Parvenue devant la porte, elle hésita un instant, tourna sur elle-même, puis s'écria :

« Hé, l'embryon, passe me voir demain entre 7 et 8 heures : Ben m'a chargée d'une commission pour toi. Si tu me manques, il te faudra attendre dix à quinze jours ! »

Midy brusqua sa besogne afin de ne pas louper le sommet tripartite. Mordre, griffer, cracher, s'accrocher aux fripes de l'agresseur jusqu'à ce qu'elles tombent en lambeaux. Elle ricana devant l'image du trio infernal réuni, le minois déformé par l'effort qu'elle mettait dans son rire.

La nana déboula au bar, surexcitée, et fit signe à Mick de la suivre. Elle ne l'affranchit pas, mais l'entraîna d'autorité dans l'escalier. Ça pétait dans la chambre. L'Harmaguédon. Impossible de mettre un nom sur une voix fulminante ni de savoir qui menait la danse, tant les injures sifflaient et se succédaient dans une cacophonie homérique.

« Qu'est-ce qui se passe ? demanda Mick à la nénette, qui s'était arrêtée sur le palier du deuxième.

– Shako et le pasteur se sont donné rendez-vous chez Mère Six, et celle-ci ne semble pas apprécier...

– Quel fouteur de merde, ce tas de jambonneau ! »

Les voix furieuses montèrent d'un cran. L'instant d'après, une claque, suivie d'un cri déchirant, retentit en provoquant un chambardement monstrueux. Lits, paravents, vaisselle partirent dans tous les sens. Shako perdit sans doute son manteau, puisque la vieille gloire, la voyant à poil, se mit à hurler à la sorcière. Des gens sortirent dans le couloir. Midy, rassurée par cette présence curieuse, tira sur la manche de chemise du freluquet et lui dit :

« On ne se mêle pas de ça. Filons au resto : il y a du monde pour séparer ces échangistes. »

Le tandem regagna l'hôtel après la nuit tombée. Midy n'accorda aucune attention au camion-benne. En revanche, son compagnon suspecta un excès de zèle chez les hommes de la voirie. C'est que Lagos revendiquait, entre autres titres, la palme de métropole de la crasse. Des bennes collectaient certes les ordures, mais, leur capacité de ramassage restant inférieure aux besoins, les immondices se multipliaient, y compris dans les quartiers chics, si bien que des montagnes d'ordures intégraient le paysage. À Lagos Island, centre de rayonnement de la cité yoruba depuis le XVIIe siècle, qui, lors du boom pétrolier, avait accueilli une usine d'incinération, celle-ci n'avait pu tourner, donnant au contraire naissance au plus grand monument d'ordures, fumant et odorant, cadre de travail pour des milliers de déshérités.

Craignant les suites de sa farce, Midy squatta la chambre de Mick et Tagar. Ce dernier, décoincé par une biture d'enfer, leur apprit la bataille rangée entre Mère Six, Shako et Frère Jacob, les sirènes s'étant d'abord liguées pour faire ravaler ses psaumes au prêcheur, ensuite pour régler leur différend, à coups de griffes et d'invectives, chacune revendiquant le leadership sur l'autre.

Mick plongea auprès du bifteck couché par terre. Le copinage n'appelle pas forcément le carambolage, le raisonna la nana en serrant ses fesses et ses flûtes. Gonflé, le play-boy se colla à la chaudière, espérant que la nuit finirait par lui porter conseil.

Tagar sortit à trois reprises pour vider sa vessie. La fois d'après, un locataire le surprit dans le couloir, dressé sur la pointe des pieds, en train d'ouvrir les écluses par la petite fenêtre surélevée. Sommé de stopper son arrosage et de descendre aux chiottes, il s'y éternisa afin d'éviter les coups de gueule de l'étage.

« Tu le connais, toi, João ? sonda Midy à voix basse.

– Nib… Encore un de tes julots ?

– Déconne pas, grogna la nana en tirant la conclusion qui s'impose. João est un pote qui m'a refilé un passeport au visa nigérian périmé. Peux-tu me trouver un preneur ?

– Montre-le-moi ! »

Midy retira le passeport de son sac. Le document sous le nez, Mick le déclara négociable, d'autant plus qu'aucune photo ne le particularisait. Il avait un acheteur potentiel. La greluche l'invita à la discrétion, puis tourna le dos.

Réveillée de justesse à l'heure du rendez-vous, elle enfila ses babouches, monta aussitôt au troisième. La gazelle parvint à bas bruit devant la troisième porte à droite quand on vient de l'escalier.

Un pressentiment étrange la parcourut au moment de frapper à la porte. Sans raison aucune,

une forte envie de faire demi-tour la tenaillait. Midy pensa à l'empoignade de la veille. Et si les trois numéros avaient percé son jeu ? Impossible. Tagar en aurait parlé. Et puis, le trio aurait fait convoquer les états généraux de l'amicale et l'y aurait traduite, de gré ou de force, quitte à la houspiller et la mettre au ban de la tribu. Et si Shako lui tendait un piège ? Ne l'avait-elle pas prévenue de se méfier ?

Un premier toc-toc resta sans résultat. Le deuxième, plus décidé, n'occasionna également que dalle. Intriguée, la nana posa la main sur la poignée, tourna et entrebâilla la porte. Shako, se dit-elle en frappant doucement, était déjà debout et l'attendait. Elle frappa encore plus fort et, n'obtenant aucun signe de vie, poussa la lourde. La vue du tableau lui coupa le souffle : la panthère, tombée sur le ventre entre le plumard et l'entrée, nageait dans son sang. Surprise dans son lit, elle avait voulu atteindre la porte, sans doute pour appeler au secours, entraînant avec elle ses draps souillés de sang.

Sa stupeur contenue, Midy balaya la chambre d'un œil avisé, notant en passant que la snobinarde vivait dans le luxe. Une nantie. Comme ses pareils. D'un bond, elle s'introduisit dans la turne et fit main basse sur une montre dame. Posés sur la table de chevet, des bracelets en or éblouirent sa vue. Elle s'en approcha, mais l'alarme sonna illico dans sa tête : que quelqu'un la surprenne là, elle patouillerait dans une telle mélasse qu'elle ne saurait expliquer, encore moins justifier, cette visite matinale après la semonce publique de la veille. Elle fonça vers la porte, remit la main sur la poignée et tira. Juste au moment où un quidam l'interpellait dans son dos :

« Qu'est-ce que tu fous à cet étage, à pareille heure ? »

VI

La gazelle offrit à l'apparition sa meilleure gueule d'enterrement. En peignoir, une serviette autour du cou et des espadrilles aux pieds, le mastard sortait manifestement de la douche. D'abord amusée, sa bobine se durcit devant le visage chafouin. Il mata la greluche, ce qui eut pour effet d'accentuer le trouble de celle-ci, puis répéta sa question :

« Je t'ai demandé ce que tu faisais là ! »

Pour toute réponse, Midy montra la chambre en bafouillant :

« C'est pas moi, président. Je te le jure. Quelqu'un d'autre l'a tuée. »

Une clef tourna dans sa serrure. Réalisant la gravité de la situation, Ben repoussa la nana dans la chambre et la referma derrière lui. Brusquement mis en présence du cadavre, il perdit de sa morgue et resta sans voix pendant une éternité. Il hocha finalement la tête et, sans préavis, allongea une mandale à la greluche. Celle-ci partit comme un boulet, s'écrasa dans un meuble. Sans un cri.

« Pourquoi tu l'as butée ? questionna-t-il en gardant la voix basse. Elle m'a proposé, pas plus tard qu'hier, de t'initier à son boulot !

– Ce n'est pas moi, président. Regarde mes mains… »

Recroquevillée au tapis, Midy, le regard suppliant, tendit ses nageoires. Black President les examina sans saisir la raison de l'invite. Les devinettes n'étant pas son fort, il exigea un décodage.

« Qu'est-ce qu'elles ont, tes menottes ?

– Clean. Je n'ai pas de sang dessus. D'ailleurs, tu peux remarquer que le sang s'est coagulé, ce qui veut dire que Shako a été tuée cette nuit. »

Ben Balewa, qui ne s'était pas préoccupé de ce détail, dut se rendre à l'évidence. Il congratula la nana d'un œil reconnaissant et, chose qu'il ne se serait jamais permis en d'autres circonstances, la souleva et la pria de l'aider à transporter la défunte sur son lit.

Midy releva d'emblée l'insolite : dans sa tentative de joindre la porte, Shako, mortellement blessée, devait marcher à quatre pattes ou tituber. Qu'elle tombe à ce moment-là, ses jambes seraient restées écartées. Or elles étaient serrées, comme dans un effort de contrer un viol. C'est dire que le meurtrier n'a pas bougé de la pièce, preuve que la victime le connaissait.

Ben retourna le corps et sursauta au constat que Shako avait été lardée de coups. Le couteau, toujours plongé dans le thorax, s'était encore enfoncé dans sa chute.

« Dis-moi, président, émit la gazelle qui se tenait

aux pieds du cadavre: est-ce que Shako dormait nue?

– Pourquoi cette question idiote? Tu ne vois pas qu'elle porte sa robe de nuit?

– C'est qu'elle n'a pas de slip, ce qui pourrait expliquer la position des jambes. L'assassin le lui a retiré après sa chute.»

La défunte transportée dans son lit et recouverte, Ben convia Midy dans sa turne, deux portes plus loin. Il referma la chambre à clef. Sept heures trente à sa montre waterproof.

La gazelle pénétra dans une ambiance enfumée. Nul doute que Black President grillait un shit à son réveil. Un œil au cadre releva que la taule était plus luxueuse que celle de Shako. La poivrote s'écroula sur une chaise, tandis que Ben disparaissait dans une chambrette attenante. À son retour, il n'avait rien mis sur son torse velu et musclé, mais portait un jean. Le malabar s'assit en face de la nana. Droit au but.

«Mère Six t'a briefée sur le problème qui se pose ici: éviter que les flics ne se mêlent de nos affaires, faute de quoi des expulsions sont à craindre. Ceci pour te dire que la mort de Shako doit également rester secrète.»

Ben Balewa se lança dans une explication technique, inspirée par la lecture des journaux européens, sur le mystère qui plane sur certaines communautés asiatiques d'Europe. En dépit de leur réputation mafieuse ainsi que de l'existence, en leur sein, d'une population âgée, ces communautés bernent les statistiques: on ne leur prête ni morts violentes ni cas de décès. Et pourtant, ces gens claquent comme tout le monde. Ils ont donc un truc pour camoufler les crevaisons dérangeantes. Black President en a dégoté un. À la mesure de la population du *Yaba*.

« La disparition de Shako, enchaîna-t-il, ne peut surprendre outre mesure, vu qu'elle bouge pas mal dans les pays de la sous-région. Comme je me suis brouillé avec elle, les gens trouveront normal qu'elle disparaisse du paysage…

– Pour toujours ?

– Pourquoi pas si elle tombe sur un autre mec ?

– Comment va-t-on l'enterrer ?

– Je m'en occupe. Par contre, le gros problème reste celui du meurtrier : il faut le démasquer. »

La sonnerie du portable interrompit le tête-à-tête. Le temps de s'en emparer et de gueuler un allo, Ben se dirigea vers la fenêtre et parlota un moment. Il donna ensuite deux coups de fil en pidgin, puis rejoignit la nénette avec une solution : son marabout allait lui révéler l'identité du tueur. Affaire classée.

« J'ai une petite idée permettant d'identifier le tueur cet avant-midi, mieux, avant le culte…

– Accouche, ma petite ! »

Pour avoir laissé la porte de la victime ouverte, le tueur voudra s'assurer que le corps a été découvert. La retrouvant fermée, il va chercher à savoir si le corps a été enlevé. Glisser une feuille de papier dans le trou de la serrure, suggéra la greluche. Si l'assassin l'enlève, il va commettre l'erreur de signer son passage.

« Tes soupçons se portent sur qui ?

– Sur le seul individu du *Yaba* dont on ne peut fouiller la chambre pour retrouver le slip…

– Je le tuerai de mes mains, lâcha Ben en roulant ses yeux globuleux… T'es quand même perspicace pour une gamine apparemment godiche !

– Une gamine, président, qui, depuis sa naissance, n'a cessé de voir des gens tomber autour d'elle malgré leur volonté de tenir debout : une gamine dont l'univers est un paysage désolé ; une gamine – comment dire ? – sacrifiée pour des crimes qu'elle n'a pas commis. »

Ben fixa la nénette avec compassion. Il glissa une main dans sa poche, tira trois billets de cent nairas et les lui remit.

« Un dépannage. Rentre chez toi et pas un mot de tout cela à Mère Six.

– Elle ne peut plus me piffer.

– Je t'ai dit d'aller m'y attendre, le temps de fumer un joint et de machiner le piège… »

La vieille gloire ouvrit la porte dès le deuxième toc-toc. Midy, dans un mouvement instinctif, recula à la vue du portrait démoli. Avec un œil au beurre noir, une poire tuméfiée, fendue, la machine-outil réclamait une révision générale. Elle sourit néanmoins devant la réaction de la nana, prêtant à sa gueule une forme encore plus caricaturale.

« Tu sors du boulot, ma bichette ? dit-elle en s'effaçant de l'entrée. Tu rapportes combien ?

– Qu'est-ce qui t'est arrivé ? répondit Midy à contre-temps.

– Le pasteur et cette salope de Shako sont venus

m'agresser. Si t'étais restée là, cela ne se serait pas produit… »

Un cyclone avait balayé la chambre. Midy entreprit de la remettre en ordre, ramassant ici et là des débris d'assiettes et de verres, tandis que la matrone évaluait les dégâts corporels dans un miroir.

« Hé ! s'écria-t-elle tout à coup : en essayant d'arranger ton fourbi, hier, j'ai découvert deux cents dollars…

– …

– T'as des sous, planqués dans l'oreiller, et tu me laisses te gaver comme si j'étais l'Armée du salut. T'avais prétendu avoir été volée !

– Je trimbale toujours mes sous dans le soutien-gorge…

– T'as pas d'balcon pour porter de soutif, sale menteuse ! »

Black President surprit la matrone jetant les billets verts sur la cocotte. Son attention flotta un moment entre le visage amoché et les dolluches éparpillés. Sans crier gare, il sauta sur la gazelle et lui enjoignit de vider ses poches. Midy, tourneboulée, lança des regards désespérés autour d'elle. Ben la saisit sans ménagement, la plaqua au lit et se mit à la palper, extrayant quelque chose d'une poche du blue jean.

« C'est quoi, ça ? tonna-t-il en brandissant sa trouvaille.

– La montre en or de Shako ! s'exclama Mère Six, ahurie. Comment est-elle arrivée dans sa poche ? Quelle calamité, cette fille ! »

Midy, tête baissée, resta muette. Ben la tira de son silence par une claque qui la catapulta au plumard.

« Pourquoi as-tu volé cette pauvre femme ?

– … C'est plus fort que moi, chevrota-t-elle devant la patte menaçante. Je ne peux m'empêcher de prendre ce qui est hors de ma portée… »

Ben et Mère Six échangèrent des regards surpris. S'adressant ensuite à la greluche, Black Président lui révéla que la montre était un cadeau de sa part, offert, il y a deux ans, à Shako.

« Elle est à toi et tu en fais ce que tu veux. Seulement, les amis de Shako ne vont pas comprendre que tu la détiennes. Débrouille-toi pour que cela ne fasse pas de vagues. »

Le mastard se brancha aussitôt sur la bouille amochée. Mère Six gazant dans une diatribe contre ses agresseurs, il lui coupa la parole :

« Je dois me rendre d'urgence à l'aéroport. Un visiteur nous vient d'Europe. Le même qu'il y a deux ans. Prépare-lui la chambre d'en bas ! »

VII

Mère Six s'est endormie, bourrée d'aspirine, alors que le *Yaba* s'est rendu à son show quotidien. Midy, qui contemplait la montre depuis trois bonnes heures, la planqua subito et tendit les loches : quelqu'un rôdait dans le couloir. La jeune fille quitta ses babouches, s'approcha de la porte et l'ouvrit doucement : le grand timide montait au troisième ! Un éclair fusa dans sa boule : et si c'était Tagar, le meurtrier ? Le zigoto s'était longuement absenté, la veille, après avoir été surpris en plein arrosage dans le couloir. Son absence avait été longue, suffisamment longue pour qu'il monte chez Shako, la saigne et lui pique sa culotte. La nana vacilla entre l'envie de pister le suspect et d'aller fouiner dans sa chambre. Puis, au souvenir que le piège parlerait de lui-même, fonça chez les garçons.

La fouille fut rapide, méthodique, infructueuse. La gazelle fondit aussitôt vers l'escalier et parvint, les tripes nouées, à la marche palière. Tagar revenait dans l'autre sens. Soudainement dégonflée, elle dévala les marches quatre à quatre et s'enferma dans sa chambre. Le suspect s'arrêta un moment devant la porte bouclée, puis passa son chemin.

Un quart d'heure après, Midy hasardait sa gueule dans le couloir : personne. Elle monta au troisième, se frotta les pinces devant le bon fonctionnement du piège : l'assassin avait dégagé la feuille introduite dans la serrure. La jeune fille rentra se barricader.

Le *Yaba* reprit son animation après le culte. Contrairement à la veille, le bar carburait avec une clientèle nombreuse et bruyante, certains *bana-bana*[1] ayant préféré claquer leur pécule plutôt que de courir après des guimbardes. Midy descendit plusieurs fois à la recherche de Mick. Celui-ci res-

---

1. Vendeurs à la sauvette.

tant introuvable, elle le crut parti régler son bizness. Le play-boy émergea au *Yaba*, tracassé, aux environs de vingt heures. Il embarqua la gazelle dans le même resto que la veille. Son deal marchait. Sauf qu'il lui fallait verser un acompte de cinq cents dollars, somme qu'il ne savait où trouver.

« Ben ne peut pas te les avancer ?

– Il est pire qu'un usurier. De même que le pasteur. Pour 500 dolluches, ils réclament des intérêts de 100 à 150 % ! Tuant. »

Midy lui prêta deux cents dollars. Le tandem, qui était parvenu à destination et avait passé commande, se tritura les méninges pour savoir comment dégoter les dollars restants. Seule solution, proposa la nana en engloutissant son plat : piquer des bijoux à Mère Six et les fourguer.

« C'est le moment d'agir ou jamais, argua-t-elle : dans l'état où elle se trouve, la vieille ne va pas se recueillir devant sa quincaille.

– Tu ferais ça pour moi ?

– À condition de m'associer à ton biz.

– Ça gaze ! »

Son plaisir à peine digéré, Mick roula des regards méchants dans le resto. Il introduisit une main dans sa veste, tira un petit poignard et l'exhiba ostensiblement. Midy, effarouchée, suivit le regard furibond et découvrit, pelotonnés autour d'une table, quatre pégriots. Les Nigérians détournèrent la tête à la vue du cure-dents et, sans rien dire, se débinèrent à la queue leu leu.

« Qu'est-ce qu'ils nous veulent ? paniqua la gazelle.

– Ils nous ont sans doute vus hier et croient qu'on est pourri de fric. Tout peut arriver quand on n'a pas les moyens de les raisonner.

– Mais elle sort d'où, cette lame ?

– Un cadeau de Tagar. Son poignard de commando. »

Midy resta hébétée devant l'arme du crime. Elle revit le même bijou plongé dans la poitrine de Shako. Comment était-il arrivé entre les mains de Mick, alors que Ben et elle-même l'avaient laissé dans le corps charcuté ?

« Qu'est-ce qui se passe ? demanda Mick devant le silence de la fille.

– On s'est servi de ce poignard pour "couteauner" Shako !

– Quoi ?

– Shako a été lardée cette nuit avec ce poignard. »

L'incrédulité de Mick fut telle que Midy se crut obligée de lui croquer un dessin. Le jeune homme, bouche bée, écouta la narration sans l'interrompre. Après quoi il commanda une Guinness, l'avala cul sec, puis surprit la greluche avec sa confidence.

Par sa discrétion, Tagar avait gagné la confiance de Ben et de Shako. Avec le premier, il s'enferme des heures durant, surtout le matin, pour une partie de fumette, tandis que la seconde lui a remis le double de la clef de sa chambre. Il peut ainsi la rejoindre à n'importe quelle heure. Dieu seul sait ce qu'ils fricotent, car le bonhomme reste muet sur le sujet. Déserteur d'une unité de choc de l'Unita, il se croit traqué par ses ex-frères d'armes et trimbale, jour et nuit, le double du même poignard. Autre problème avec lui : il devient imprévisible quand il a pompé. C'est lui qui avait surpris le pasteur chez Shako et prévenu Ben. Par jalousie.

« Comment peux-tu vivre avec ce malade ?

– Il a un côté positif : contrairement aux gens du *Yaba*, il n'occupe pas le terrain.

– Qu'a-t-il fait de la petite culotte ?

– Je parie qu'il l'utilise comme mouchoir de poche.

– Beurk ! Selon toi, aurait-il cherché à la violer ?

– Rien n'est à écarter : son passé l'a rendu sans états d'âme. »

Midy eut un sommeil agité, si bien qu'elle dormit comme une souche durant la matinée. La greluche aida la matrone à se laver et lui donna ses cachets, puis descendit prendre sa douche. Une heure après, elle surgissait au bar, vide à cette heure, et fit un petit tour dans le voisinage. À son retour, mue par une inspiration subite, elle pointa à la porte de João-Monteiro. Convaincue que la chambre était verrouillée, elle força la porte et fut surprise de la voir s'ouvrir. Un homme ronflait dans les draps du mort.

Midy recula à la seconde. Mais l'homme, tiré de sa sieste par l'intruse, stoppa sa retraite d'un signe de la main. La greluche eut un haut-le-corps en pénétrant dans la pièce : l'odeur ressentie la veille ! Le formol. La chambre en était imprégnée. Et ce bougre qui devait s'imaginer inhaler quelque fragrance ! La nana repéra la valise et les deux sacs posés par terre : le voyageur dont Ben avait parlé.

« Qu'est-ce que vous faites là ?

– Ne renversez pas les rôles, répondit l'homme en s'asseyant au bord du lit : c'est à moi de demander à cette belle fille ce qu'elle vient chercher dans la chambre d'un célibataire !

– Où est passé le corps de João ?

– Quel João ?

– Le macchab qui était là ! »

Le gars lança des regards effarés autour de lui, zyeuta la greluche et, preuve qu'il avait bien saisi, se détacha du plumard d'un saut et s'enquit de quoi retournait son roman. Midy l'affranchit. Quand elle eut fini, le voyageur, son regard valsant entre le lit et la nana, jura sur ses aïeux que Ben allait lui payer cher sa mauvaise blague. L'héberger dans une piaule non désinfectée, qui pis es, dans un lit mortuaire !

L'homme, subitement pensif, fixa la nana d'un air dubitatif. Il claqua ses doigts au bout d'un moment, sauta sur un sac d'où il tira des journaux. Il les feuilleta avec nervosité, se demandant dans lequel il avait lu un entrefilet insolite. Le *Daily Times* en mains, il découvrit l'info en question dans la rubrique des faits divers : le corps d'une personne de sexe masculin découvert, tronçonné et en voie de calcination, dans une décharge publique. L'homme, décharné, serait à première vue d'origine étrangère. Enquête en cours.

« S'il s'agit de João, releva la fille, comment son corps serait-il arrivé là-bas ?

– Je connais Ben comme le fond de ma poche : il est capable d'utiliser des employés de la voirie, à leur insu, pour évacuer le corps. Tu ne les aurais pas vus passer par ici hier ?

– Nix. Mais il y a un autre macchab là-haut. Une gonzesse. Très classe. Faut pas qu'elle crame, celle-là.

– … Aide-moi à transporter mes bagages dans un autre hôtel. Je m'occuperai de Ben après. »

Quelques heures plus tard, Midy ne comprit que dalle lorsque Mick débarqua au bar, hors de lui, et l'entraîna vers les vécés. Le freluquet lui dit son fait : elle lui avait menti au sujet du passeport, puisque le document appartient à Monteiro. Comment le sait-il ? Le marché conclu avec le preneur et le fric empoché, il avait fallu procéder à quelques retouches, coller une photo. Or, il n'y a que Ben, dont la spécialité d'origine réside dans la falsification des documents, pour réaliser ce travail d'orfèvre. D'entrée de jeu, le malabar, qui s'était déjà fait payer sa partition, avait découvert le pot aux roses et confisqué le doc.

« Arrange-toi pour ne pas le croiser : il fume contre toi.

– Qu'il aille s'en faire mettre ! Est-ce qu'il t'a dit que Monteiro a canné et que son corps, débité comme un poulet braisé, grille dans une décharge ? »

Mick tomba des nues. Des explications fournies, il apparut que João, de son vrai nom Monteiro, est un ancien collègue de Tagar dans l'armée de l'Unita. Que la dépouille ait été sciée à l'hôtel, il n'y a que Ben pour le faire : il dispose d'un passe-partout et de la panoplie du bricoleur. Le président aurait accompli ce forfait durant le culte. Cela étant, s'écria Mick, l'ouverture du bar trouve une explication : les relents d'alcool devaient atténuer, sinon supprimer, l'odeur particulière de la charcuterie. D'où le formol employé.

« Il faut faire quelque chose avant qu'on y passe tous, lâcha-t-il.

– J'ai alerté un copain à moi !

– Parfait. As-tu la joncaille ? »

Midy lui refila les bijoux. Le freluquet lui conseilla de se planquer dans sa chambre jusqu'à son retour. Ils iraient dans un autre hôtel et y attendraient que les choses se tassent. Que son business décolle, atterrissage forcé à Jo'burg. Rendez-vous à 18 heures au bar.

Au comptoir, où elle poireautait depuis deux heures, Midy apprit par hasard que Mick avait fait ses valises pour une destination inconnue. Devenue nerveuse, elle sortit du bar et se mit à arpenter l'hôtel de long en large. Envie furieuse de pleurer, d'évacuer la rage qui la tenaillait. Griffer. Mordre jusqu'au sang. Mais pas une larme ne coula de ses yeux. Elle s'écroula par terre, le dos contre le mur, les yeux au décor mais absents.

Branle-bas soudain au bar. Midy sursauta à la vue du malabar qui jaillissait de la 504 et se ruait dans l'hôtel, provoquant la débandade des siffleurs. La nana rejoignit le petit attroupement formé devant l'entrée : Ben Balewa, après avoir coincé Frère Jacob au comptoir, fouillait dans ses poches. La brute sortit une Bible, l'expédia au diable sous les regards stupéfiés de l'assistance. La paluche à nouveau plongée dans le fourre-tout, elle tira un trophée, le brandit et le ficha sous le nez épaté.

« Jésus-Christ ! s'exclama le révérend en se signant. Qu'est-ce que c'est ?

– C'est à moi que tu le demandes ? hurla Ben en lui balançant un coup. Il sort d'où, ce slibar ? »

Midy voulut s'élancer mais resta tétanisée : quelqu'un lui titillait le cou avec la pointe d'un couteau. Elle loucha autour d'elle, tressaillit à la vue du bras tendu : Tagar tenait son poignard, enfourné dans la manche de sa chemise ! Comment avait-il pu le récupérer ?

Les confidences de Mick lui revinrent à l'esprit : Tagar voyait le président, chaque matin, pour une partie de shit. Ignorant sans doute la vraie nature de son partenaire, Ben lui raconte le meurtre ainsi que les soupçons qui pèsent sur le pasteur. Ainsi affranchi, le salopard, qui dispose de la clef de Shako, récupère son poignard fétiche, s'arrange ensuite pour glisser le slip dans la poche du pasteur. Une victime providentielle.

Entre-temps, Black President cognait sur le clergyman. Un marteau-pilon. Le mufle baveux tourna en un clin d'œil au chiffon sanglant. Le pasteur beugla au fou et appela à l'aide, mais personne n'osa s'interposer entre les pontes. Dans un réflexe de survie, l'homme de Dieu expédia son genou dans le service trois-pièces du malabar. Celui-ci encaissa. Puis assena un coup de tête, suivi d'un uppercut sur le tas de graisse. Le corps flasque s'effondra sur le parquet.

Ben retourna à la voiture, tandis que Midy se glissait dans l'hôtel. Le mastard l'aperçut au dernier moment et la héla d'une voix de tonnerre. Mais la greluche monta en vitesse, s'enferma à double tour chez Mère Six.

Assise sur le lit, celle-ci inventoriait le contenu de son écrin et eut un regard de commisération sur la cocotte. La porte sauta dans la foulée, laissant pointer la masse fumante de Black President. Midy tourna autour du lit sans découvrir le moindre trou. La peur de se faire broyer la dérégla au point qu'elle se mit à trembler de tout son corps. L'issue de secours s'offrit à travers la fenêtre. Elle y sauta à la seconde. Un œil au sol la remit en confiance : le voyageur conduisait une escouade de MP vers l'entrée de l'hôtel. Tandis que Mère Six suppliait la nana de descendre, celle-ci, voyant le bulldozer s'avancer, lâcha prise et tomba dans le vide Comme dans son cauchemar.

DIVAGATIONS FŒTALES

ENCORE cette sorcière, râlé-je en voyant la vieille sortir de son trou et tournailler dans la pièce. Celle-là, je l'ai dans le nez depuis que je l'ai identifiée, dans une vision dantesque, parmi mes persécuteurs. Elle me prend pour un débile, mais je suis plus futé qu'elle. Je sais, par exemple, que papa, tonton, ma frangine, tous morts dans des conditions obscures, hantent sa conscience. Qu'elle veuille maintenant ma peau, je ne lui ferai pas le cadeau de s'en servir pour couvrir un tam-tam, ultime diablerie des sorciers, vampires et autres génies du mal après avoir croqué leur proie.

Sans qu'elle s'en doute, je surveille la charogne du coin de l'œil, épiant ses moindres gestes. Elle fouille par-ci, bluffe par-là avec la vaisselle, trifouille dans un coin et ne fout que dalle au butoir. Qu'a-t-elle donc à tournoyer de la sorte, jour et nuit, autour de ma pomme ? Je ne suis quand même pas un bébé. Ni une plaque tournante. Encore moins un rond-point autour duquel on peut toupiller mille millions de fois.

L'esprit du bien m'enjoint de m'éloigner de la teigne. Sa présence à mes côtés, surtout en ce moment où je pèche par ma fragilité, favorise le transfert des fluides maléfiques. Or je tiens à renouer avec mes habitudes. Si je ne me frotte pas aux gens, c'est parce qu'ils sont bizarres et infects, d'où la suspicion que je leur porte. Les méchants me tapent sur le système. Je les repère d'ailleurs au pif. C'est le cas de cette vieille marmite qui a liquidé trois des miens. J'ai découvert qu'elle les a bouffés, au cours de trois orgies sataniques, afin de s'approprier la parcelle, la brouette, le parc de pousse-pousse, tout le bataclan. La sorcière. Je l'ai à l'œil depuis que je l'ai dépistée dans un cauchemar.

« Où vas-tu, fiston ? crie la vache alors que je quitte son champ magnétique.

– …

– Tu ne devrais pas sortir. T'es malade et t'as l'air d'un zombie. »

Qu'est-ce qu'elle en sait, la harpie ? La malaria, ça se soigne. De même que la fièvre d'Ebola, la grippe asiatique ou sa jumelle espingouine. Il suffit d'avaler de la nivaquine. Ou de la quinine. Faut pas être alchimiste pour le savoir. Mais quand on voit des films que nul ne peut imaginer, on vit un état supérieur. La révélation. Qui vous place au-dessus des fourmis. Conseil gratuit : il ne faut jamais écraser ces pauvres insectes. Ils peuvent exploser et vous scratcher en mille millions de morceaux saignants, au grand plaisir des forces occultes.

Je marche comme un robot, à pas chronométrés, de peur de fouler des fétiches ou des trucs comme ça. Ces choses-là peuvent éclater comme des mines antipersonnel et faire très mal. Elles peuvent aussi occasionner l'éléphantiasis, ce qui donne à l'imprudent échalas, comme moi, l'impression de chausser des *goodyear*[1]. Des gosses me suivent en pouffant de rire. Des fions, qui me semblent familiers, m'évitent en me zyeutant de travers. Des suppôts de Satan.

Un éclair fuse dans ma tête. L'alerte. Je dégaine mon Awacs, un morceau de miroir qui ne me quitte jamais, et feins de me louquer. En fait, comme j'entre dans une zone à forte concentration des ondes maléfiques, le miroir, tenu de côté, me sert de rétro et permet d'intercepter le mauvais esprit collé à mon destin. D'habitude, je stoppe net quand un quidam s'y inscrit. Sinon j'enclenche la marche arrière, sans me retourner, afin de bien capter la cible. De la voix métallique d'un flipper, je lâche un message de détresse à mon double : « Attention ! attention ! les ennemis passent à l'attaque ! » Je peux alors suivre la progression du suspect, juger de ses intentions à mon égard. Que son mufle s'éternise dans le radar et s'avère aussi moche que les sept péchés capitaux, je lance la contre-offensive, car le Malin machine ma perte. Le raid se termine fatalement par la

---

1 Chaussures à semelle épaisse (N.d.A.).

fuite de la taupe. Celle-là, je ne la quitte pas des yeux.

Pourquoi j'emprunte toujours le même circuit ? J'en sais que dalle. Peut-être serait-ce parce que les chiens aboient sur mon passage en restant à distance. J'exècre à mort ces cabots faméliques. Ils divaguent comme les esprits errants, raison pour laquelle je les fixe, les yeux dans les yeux, et grogne à mon tour. Grrr ! Terroriser les terroristes.

Je fais mon tour du propriétaire, assiège le haut-parleur du bar du quartier pour écouter de la musique. Quand je me sens bien dans ma peau, je dodeline parfois de la tête et mbalaxe[1] un tout petit peu, ce qui amuse les gamins. Me voir tourniquer le derrière les met à chaque fois aux anges. Allez savoir pourquoi ! À propos, j'ai jamais su pourquoi ces petits diables m'appellent Sandokan. Toto-m'en-fout ou Jo-le-jazzeur me vont pourtant à merveille. Bien entendu, cela dépend des jours. Et des nuits. Mais, dès que je les vois ramasser des cailloux et devenir agressifs, je détale à reculons afin de garder le contrôle de la situation. D'autant que je soupçonne la poissarde dans leurs rangs. Celle-là, je la guette au tournant.

Une vieille femme me salue. Je panique à l'idée de flirter avec une sibylle. On ne me le serinera jamais : les génies du mal se déguisent sous une forme humaine ou animale afin d'enfiler leurs victimes. Je tourne les talons, reviens à la case départ et campe dans mon coin. Toujours le même. Un pré

---

1 Danser le *mbalax* (N.d.A.).

carré. J'aimerais bien causer avec quelqu'un, un prof ou un savant, discuter avec lui des équations à mille millions d'inconnues ou des trucs appris au collège, où j'ai loupé mon bac avec brio. Mais personne ne s'approche de ma poire. Ainsi mis en quarantaine, je parlote seulingue. Et ne m'en plains pas.

Maman m'apporte à claper. Il s'agit là, si je ne m'abuse, de mon premier repas de la journée. Impossible d'en être sûr, vu que je ne consigne rien. Je devrais pourtant essayer. Ne fût-ce que pour savoir comment elle va me liquider. Par la croûte ou par la famine ? J'avale quelques bouffées. C'est bon. Que non ! Elle a encore assaisonné sa tambouille de pili-pili. Ça pique fort. J'en ai la bouche en feu. Et si elle m'empoisonnait ou tentait de me cramer les tripes ? Va-t-elle seulement penser à alerter les pompiers ? Une sorcière ne peut se prévaloir d'une once d'humanité. Je repousse les plats trafiqués, me renfrogne et reste sourd aux supplications. Grève de la faim illimitée. Celle-là, elle ne m'emmènera pas en enfer.

Je crains la nuit. Ses silences déstabilisent et rendent nerveux. Les esprits malveillants en profitent, de surcroît, pour rôder. Je n'aime pas non plus dormir. Parce que l'état d'absence rend vulnérable. Le toubib prétend que j'ai des hallucinations. Est-ce que cela signifie que je fabule quand je vois des têtes de mort et des monstres dans mon sommeil ? Réveillé, les yeux grands ouverts, je subis leur guérilla au point d'être en nage. Seul mon chapelet les met en débandade. Encore faut-il que j'y pense, chose qui n'est pas évidente à cause de ma grande tension. Je brûle alors du thuraï. Ça purifie l'air et dégage l'atmosphère des agents hostiles.

Au lieu de ronfler, je scrute les ténèbres afin de débusquer les présences insolites. Ma vigilance paie au bout du compte, puisque des masques hideux se pointent, munis de langues fourchues et de cornes. Quand ils passent à l'attaque, je me transforme en courant d'air, plane, vire à perpète. Mais les hordes d'intervention souterraine finissent par me rattraper. Je lance des SOS. Personne ne m'entend. Sauf mon père, tonton et ma frangine, qui, le temps d'une séquence infinitésimale, surgissent pour m'exhorter à ne pas baisser la garde.

D'aucuns affirment que je déjante. Pourtant, je reconnais la sorcière, tapie derrière les boules bâclées, en train de les inciter à me porter le coup fatal. Pourquoi est-elle toujours là quand les ennemis attaquent ? Terrassé, la bouche écumeuse et la carcasse fiévreuse, je ne perds pas pour autant le sens des réalités : sa silhouette se détache nettement dans le noir, s'approche de moi. Croyant que je suis mort, elle se penche sur ma frime, vocifère je ne sais quels sortilèges et m'essuie la sueur. Je la laisse branler pendant quelque temps. Ruse de guerre. Quand elle s'absente, à coup sûr pour aller consulter ses congénères, je cherche mon chapelet sous l'oreiller. Manque de pot, le fétiche a disparu. Encore un coup de la charogne. Elle sait, la vilenie personnifiée, que je peux la neutraliser avec ce gri-gri importé. Par bonheur, la hachette, que je planque sous le matelas, me permet de garder l'initiative. L'humanité est sauvée. Où qu'elle aille, la sorcière, je l'ai à l'œil.

Aux Deux Manguiers

RIEN QU'AVEC SES ANANAS, Marie-Thérèse m'avait d'emblée flashé. Ajoutez à cela ses bras empâtés, son postère phénoménal, fidèle aux canons de l'art, mes instincts cannibales avaient resurgi et ceux qualifiés de bas, sans doute parce qu'ils opèrent hors caméra, s'étaient éveillés. Deux mètres de pied en cap, quatre-vingt-dix kilos de chair et de gras, l'Himalaya avait rallumé mes fantasmes. Sa voix de fausset ouïe et son visage chagrin gravé, mon cœur, déjà sensible à ce qui détonne, s'était débridé devant le côté relax, un brin fada, de la sirène. Envoûté.

Autant l'avouer, j'adore les pièces rares, celles qui rebutent les bonnes âmes et les laissent indifférentes. Les «bourreaux», ces meufs divinement massives, trônent à mon palmarès. Sinon, je me toque des albinos, malbâties, impotentes. À vos stylos, mes salopes ! Vicelard, moi ? Ne déconnez pas. Tenant en horreur les scènes de jalousie et les MST, je fouine dans le rebut de la gent féminine. Parce que les quantités négligeables sont nickel, de surcroît soucieuses des visites prophylactiques. Elles vous fichent une paix royale et ne vous taxent pas, contrairement à ces beautés voraces qui, comble d'ironie, entretiennent la légende de Kin-la-belle. Croquer une de ces pièces équivaut, de mon point de vue, à lui rendre sa féminité, mieux, à la valoriser. Avec l'avantage de bénéficier d'une perpétuelle reconnaissance du ventre.

Mais voilà, cela fait un bail que je connais Marie-Thérèse sans l'avoir culbutée. Je n'ai pourtant pas l'âme d'un boy-scout et ne suis, pour elle, ni un sigisbée ni un griot. Pis, pas une seule fois je ne l'ai sortie sans qu'une tuile, mais alors un gros pépin, anéantisse mes projets ou nous pète à la figure. Je suis donc très loin de me l'imaginer quand je la lève, pour la première fois, aux *Deux Manguiers*. Et d'un. De deux : de même que les Marie-José, Marie-Léa, Marie-Louise et autres Marie-Pauline portent respectivement, à Kin, les petits noms de Méjé, Mélé, Malou et Mépé, les Marie-Thérèse friment, quel que soit leur calibre, avec un pseudo poétique : Méthé. Un cas troublant, ma muse.

Après deux heures d'attente sous une paillote, force m'est de reconnaître que l'indigène, qui m'avait rencardé dans ce bar de Barumbu, une des vieilles cités de Kin, m'a posé un lapin. Carburant aussi à l'heure africaine, je m'en fous, d'autant que j'essaie de me brancher sur une poupée gonflable,

Méthé, également assise sous une paillote. La Cadillac buvote avec une souris de petit format.

Le contact visuel pris, je leur expédie deux bières, histoire de poser des jalons. Sourires. Avantage dans mon camp. Quand elles éclusent la pisse, je réitère mon geste de bienfaisance publique. À haute voix. Pour éviter toute équivoque sur la provenance de la flotte. Alors que le garçon va les servir, je le dévie de sa trajectoire, fait déposer les bibines sur ma table et siffle le rassemblement. Les frangines accourent. La timbale décrochée.

On trinque aux misères passées et à venir de la piétaille. Méthé, qui a de gros yeux blancs ensorcelants, expose en prime des bras velus et des lèvres pulpeuses. Bandant. Je joue cartes sur table, provoquant le déplaisir, à peine voilé, de l'autre poulette.

À deux heures, Dety, ladite poulette, se casse. Bon débarras. On file peu après, ma conquête et moi, à la recherche d'un nid d'amour. Le tour du quartier effectué, nous prospectons au-delà : les hôtels (terme pudique – vous l'avez deviné – pour désigner les bordels) sont fermés ou complets. À croire que les forces vives de la nation jouent les prolongations à guichets fermés. De guerre lasse, Méthé me propose son toit. À la guerre comme à la guerre !

La sirène crèche sur la rue des *Deux Manguiers*, du côté où les pluies diluviennes ont agrandi la rigole, en rongeant la rue au point de la rétrécir comme peau de chagrin. J'avance à tâtons dans le noir, posant mes pieds dans le sillage de la Cadillac. Nous débouchons enfin sur une parcelle rongée par les érosions. Le taudis, en terre d'argile, date des années vingt, à l'époque où Kin n'avait pas encore gagné ses galons de capitale.

Méthé ouvre la porte, entre de plain-pied dans une chambre à coucher. Figé à l'entrée, j'examine le bocal sous l'éclairage d'une bougie. Débectant. Non pas que j'habite une supertaule, mais j'ai du mal à croire que la cochonne, qui n'avait pas arrêté, durant toute la soirée, de s'arroser les aisselles avec un vaporisateur Lancôme, niche dans ce foutoir. Et quel foutoir ! Un trou cracra. Quatre gamins pioncent à même le sol, des pagnes en lambeaux tirés jusqu'à la tête, trois autres ronflent dans un petit lit à l'évidence destiné à deux gniards.

« C'est quoi, ce plan ? demandai-je, estomaqué, à Méthé qui nous fait une place dans le pieu.

– Les mômes de ma frangine. Elle dort, elle, dans la pièce d'à-côté. »

Scrupuleux à mes heures perdues, je soulève les yeux : le mur de séparation des deux pièces, aussi haut qu'un pygmée pur jus, offre une superbe vue plongeante dans l'une ou l'autre turne. Je m'imagine aussitôt dans les bras de Morphée, déplumé, dans cette tanière. Déballonnant.

« Et nous, on se fait des câlins où ça ? »

Méthé montre le grabat en m'intimant le silence. Moi, grimper l'Himalaya dans ce berceau, qui pis est avec le risque de voir ces babouins, apparemment endormis, me faire des croche-pieds pendant l'escalade ? Pour qui donc me prend-elle, cette pouffiasse ? Je ne suis tout de même pas un sauvage. De la tête, je lui fais signe de me suivre. Puis lui refile, une fois dehors, de quoi engaver son poulailler et me tire.

Deux jours après, infichu de refouler mes pulsions, j'émerge aux *Deux-Manguiers*. Des gens crachent sur mon passage ou hochent la tête. Mon péché mignon va leur servir de plat de résistance. Je m'installe, flashe une gazelle en dépit des lumières tamisées. Dety. La poulette tient le crachoir à une table, le dos tourné à l'entrée, et ne m'a pas vu arriver. En même temps que je passe ma commande, je susurre au garçon de signaler discrètement ma présence à la fumelle. Je ne sais comment cet enfoiré s'y est pris. Toujours est-il que Dety, manifestement de mauvais poil, se retourne et scrute dans ma direction. Un bref instant, je crains le retour de manivelle. Mais la pépée, m'ayant reconnu, hurle au revenant, plaque sa bande et vient me bécoter. Elle s'écroule sur mes jambes, noue ses tentacules autour de mon cou. Ma légende de charmeur ne date pas d'hier.

« Comment ça s'est passé ? attaque-t-elle en plantant ses pruneaux dans les miens.

– Méthé est cachottière à ce point ? »

Nous nous dévorons du regard. Mais, au-delà du visage cendré, ce sont les flotteurs de Méthé que je revois. Sous la blouse transparente, leur volume m'obnubilait et leurs contours, nettement dessinés, déréglaient mes sens. Alors qu'ils s'exposaient là, ils m'avaient paru hors de portée, telles des bouées de sauvetage qui s'éloignent du naufragé. Plongé dans mon fantasme, je n'avais pas accordé l'attention voulue à Dety. Mignonne et de bonne compagnie, elle l'aurait pourtant mérité. Elle venait d'ailleurs, par son accueil, de corriger mon image de marque auprès des mollahs des *Deux-Manguiers*.

Soudainement grave, Dety descend du trône, tire une chaise et tombe dessus. Elle l'avance de telle sorte que nos haleines se croisent. La sienne pue l'alcool, ça dégage les gros haricots rouges chez mézig. Confidences. Méthé est secrète. Toutes ses aventures galantes se terminent mal. Ses vestes l'ont tellement marquée qu'elle affiche une gueule de faire-part. Nul n'a réussi à percer son passé ni ce qu'elle vit. On se réfère en conséquence aux on-dit selon lesquels elle appartiendrait aux meufs, généralement foutables, qui dégagent des ondes maléfiques.

« C'est avec raison que j'ai voulu savoir ce qui s'est passé entre vous, renchérit-elle. Je me suis fait du mourron pour toi, mais ta présence ici me rassure.

– À quoi attribuer ce maléfice ? Je n'ai rien perçu de tel l'autre soir...

– T'as couché avec elle ?

– Pourquoi cette question indiscrète ?

– T'as pas compris que Méthé est une meuf porte-malheur ? Fais gaffe avec elle ! »

Le sortilège, poursuit-elle avec l'autorité d'une guérisseuse en consultation, proviendrait soit de sa naissance, soit d'un autre événement majeur de sa vie. On le sait : un nouveau-né prend son premier bain dès sa délivrance. Hygiénique, certes, ce bain répond également à l'exigence, rituelle, de plonger le bébé dans la vie, l'eau constituant son symbole le plus manifeste. La vie n'existe pas là où il n'y a pas d'eau.

Cela dit, plusieurs hypothèses se posent sur Méthé : ou elle n'a pas pris ce bain, ce que rien ne peut justifier, ou l'on n'y a pas trempé les plantes revigorantes, ou encore, ce qui paraît fort probable, l'eau utilisée a été impure. Il se pourrait aussi que Méthé, mariée très jeune, ait perdu son porte-couilles sans que les siens la soumettent, comme cela arrive parfois, au rite de purification. Ce rite consiste à prendre un bain macéré de plantes ou de racines idoines. Pour ne l'avoir pas fait, elle peut rester à vie une source de diffusion de mal.

« Comment peux-tu la fréquenter en sachant cela ?

– Elle ne pose problème qu'à ses branques. »

Débilité par ces révélations, je revis le film de la soirée. Rien ne m'avait intrigué durant les quatre heures de bringue. Le flop du corps à corps m'était du reste imputable, car j'aurais dû dégoter une chambre à temps. Par ailleurs, si je l'avais voulu, j'aurais chevauché la mastodonte dans sa crèche. C'est dire que les confidences de Dety relèvent de la superstition ou de la mesquinerie.

« Où est-elle ?

– Dans un dispensaire. Elle veille sur un neveu malade. Sa maman n'est pas là. »

Après un long soupir, Dety pose sa pogne sur mon bras, une lueur de supplication dans le regard :

« Je l'aime bien, Méthé, mais elle n'est pas faite pour toi. Il y a de plus cette histoire… »

Classique. Je m'empresse de doubler les drinks. Puis, sur un ton coulant, plaisant à souhait, lâche à qui veut l'entendre que je m'en branle des petits formats. Spécialiste des Himalaya, par conséquent endurci aux grandes ascensions, je me sens dans mon élément dans les hauteurs, cadres où ma prestation relève des performances.

Le visage de Dety vire au noir goudron. Sa déconvenue contenue, elle me demande d'une voix craintive, si je ne roule pas pour la sorcellerie, ce à quoi je réagis par un geste blasé de la main. Ai-je, moi, la tronche d'un fétichiste ?

Trois ou quatre jours après, je renouvelle ma fidélité aux *Deux Manguiers*. Habitant l'autre bout de la ville, je ne peux me permettre des virées suivies à Barumbu. Le serveur me confie, dès mon arrivée, que Méthé me cherche jour et nuit, ce qui conforte ma position. De solliciteur, je deviens VIP. Une surprise attend la doudou d'amour quand elle amène son bifteck : je l'exporte dans mon fief, quasiment à Pétaouchnock, où des amis nous attendent. Plus question de reporter le combat singulier d'une journée. La crise a sensiblement abaissé notre espérance de vie.

Cinq braguettes nous accueillent avec des regards ahuris. La chaleur monte cependant à grande vitesse, la bibine coule à flots. Un pote débloque Méthé et l'entraîne sur la piste. Spectacle. Je ne croyais pas trimbaler une bête de scène. La zone se tord de rire devant la montagne déchaînée, l'adopte. Des bouteilles de bière lui sont offertes. Un triomphe.

Au bout de cinq heures, je déclare forfait. Les copains proposent de nous raccompagner, mais je repousse l'offre. Pas de gardes du corps. Balade sentimentale. On emprunte des passages non éclairés pour regagner ma piaule, dans un quartier voisin. Une décharge d'ordures s'inscrit dans mon champ de vision. Des toilettes strictement destinées à usage domestique. Touristes et rastaques s'abstenir. Tandis que je fais pleurer le colosse, trois lascars surgissent d'une rue adjacente et remontent le passage en beuglant le hit de la saison. Vu l'heure tardive, je n'ai aucune raison de gâcher mon plaisir. Les pochards atteignent notre niveau. Découvrant la noctambule et la croyant seule, perdue dans la forêt équatoriale, l'un d'eux l'aborde.

« Tiens, tiens ! La pouffiasse d'hier ! Qu'est-ce qu'elle fout ici ? »

Les deux autres reviennent sur leurs pas et examinent l'objet de l'interpellation. Ils tournent autour d'un monument aux morts, sifflotent, se rincent l'œil. Un mammouth ! Et pas en Sibérie ! Leur cirque terminé, ils rendent leurs impressions publiques :

« Tu crois vraiment qu'elle a pris du volume en une nuit ?

– Vous faites erreur, lance Méthé de sa voix de tête. J'suis pas d'ici.

– Sale menteuse ! crache le premier cuitard à bout portant. T'as même injurié ma mère. Voici sa réponse... »

Et clac ! La bêtasse recule au lieu de se transformer en bulldozer et de m'écraser les morpions.

Un instant, je flotte comme un con, ne sachant quelle attitude prendre. Mes scrupules ravalés, je sors de l'ombre en attirant l'attention sur ma présence. Je ne pipe mot, mais foudroie le provocateur d'un coup de tête. Tapis.

Le moment de surprise passé, les autres s'avancent, ce qui me caille le sang: des soûlards ordinaires auraient détalé après ma démonstration de force. Cette réflexion à peine ruminée, je bascule dans les immondices, trahi par le commando qui rampait par terre. Dix minutes durant, le trio se refait une forme tonique en me bourrant de coups de pied et de coups de poing, sans considération de l'endroit où ça cogne. Toutes mes tentatives de réagir échouent dans la gadoue.

Méthé siffle la fin des hostilités, bêle au secours. Des fenêtres s'ouvrent, des curieux sortent, mais se tiennent à bonne distance: un des matadores les met en garde contre toute interposition, force devant rester à la loi. Des gendarmes en vadrouille. Les faux jetons. Ils auraient dû s'annoncer!

La tête enfouie dans les ordures, je guette le moment de reprendre du poil de la bête et d'étaler, par surprise, un matamore au sol. Mais quand je veux me relever, les muscles lâchent et la couche nauséabonde m'honore de son hospitalité. Dans les abysses de ma honte, je n'entends plus la voix de Méthé. Les zouaves, qui paradent et narguent à présent le quartier, reviennent par moments se défouler sur l'idiot du village.

Le chef du quartier s'amène, tempère l'ardeur de la troupe. Il m'assoit sur les ordures et constate les dégâts. Désormais, j'ai intérêt à raser les murs.

Bruit soudain d'un marathon. Anormal. Les gens raisonnables ne courent pas dans ce Far West. Il suffit qu'un fêlé crie au voleur, surtout la nuit, pour transformer un footing pépère en chasse à l'homme. Quitte à flamber, en cas de capture, avec un pneu imbibé d'essence autour du colbac. L'arrivée de mes copains, alertés par Méthé, met fin au suspense. Ils sont épaulés par des forces d'appoint fournies par le bistrot. Les zouaves, qui tentent de déserter le champ de bataille, sont repris, bringuebalés, passés à tabac. Ils supplient, demandent la protection du peuple. Rien n'y fait. Les badauds s'en mêlent. Lynchage. Je regagne ma piaule, la tête bien basse et l'esprit à la mise en garde de Dety.

Moins d'une heure après, un camion de gendarmes s'immobilise sur le lieu de la rixe. Le quartier bouclé, un adjupète procède aux semonces d'usage: trois de ses tireurs d'élite ayant été tabassés par des voyous, il menace de sévir si les habitants ne livrent pas le chef du gang. Palabre. Le chef du quartier blablate, use de manœuvres dilatoires. En pure perte. Aux bruits de bottes, Méthé se glisse in extremis au-dessous du plumard, non sans lui imprimer une bosse visible de la station Mir. La porte est défoncée. Arraché du canapé comme une mangue pourrie, je suis traîné et jeté dans le camion, où je sers de marchepied à la soldatesque. Les gendarmes de garde jubilent en prenant livraison du caïd. Ratonnade. Six jours au gnouf. Avec des tentatives musclées de m'extorquer les noms de mes complices. L'ombre de moi-même échoue la semaine d'après à l'hosto. Seigneur, pourquoi m'avez-vous niqué ?

Combien de temps s'est-il écoulé après cette dérouillée ? Deux, trois ans ? Toujours est-il que j'hérite entre-temps d'une décapo. Problème : je ne sais pas conduire. Un ami, piéton de carrière mais en possession d'un permis, s'offre pour me driver. Nous débarquons aux *Deux-Manguiers*, qui font montre de longévité dans le domaine. Méthé, encore plus enveloppée, détraque mes neurones. Imposante, le balcon vachement rembourré, elle toise le tiers-monde et me presse d'aller au radada. Sa mine chiante évoque, dans ma boule, une fresque de Mater dolorosa trafiquée en noir et blanc. Nous sifflons comme pour un Mundial des arsouilles, reportant cent fois la der des ders, tant et si bien que le pilote, carrément down, pique du nez à l'heure du décollage. Je relève le défi, l'alcoolo-faible à ma droite et Méthé sur le siège arrière, et m'engage sur l'avenue Kabambare. Mon plan consiste à déposer d'abord le poids mort dans son paddock, quitte à m'occuper de la Cadillac. J'ai hâte de démonter l'horoscope de Dety. À propos, qu'est-elle devenue, cette souris ?

« Lentement, mon coco ! » supplie le moniteur hors jeu.

Fonçant sur une ligne droite, la ferraille déboule sur Kasaï et Bokassa sans tenir compte de la priorité de gauche. Idem au croisement avec l'avenue du Plateau. En fait, raide comme une momie égyptienne, je n'arrive pas à lever le pied du champignon. La vitesse de croisière atteinte, le copain râle, incapable d'émettre un son audible. Je tente de freiner en vue de l'avenue Kasa-Vubu, mais la bagnole s'emballe, se braque à gauche, zig-zague, traverse l'avenue, rate un poteau, percute l'enceinte de l'école Sainte-Thérèse. Éjectée du siège sous le choc, Méthé plane, bute contre le mur, tombe sur le pare-brise en le pulvérisant. Le copain est coincé dans les tôles. J'ai réussi à éventrer le mur.

La fois d'après, nous poireautons au comptoir d'un flamingo, dans l'attente d'une turne. Méthé, qui n'avait pas été chaude pour ce rencard diurne, attend le match amical avec fatalisme. Indif à sa pudibonderie, je déguste une bibine en mitonnant les étapes majeures de l'escalade. Je me vois déjà caracoler la cochonne, la trouducuter, l'embraser, lui faire pleurer sa doche, l'envoyer sur orbite, l'élever au rang prestigieux de « bureau ». Remue-ménage soudain dans l'abattoir : une poule vient d'être retrouvée dans une chambre, à loilpé, foudroyée. Son branque a fuité en la voyant claboter. Morte au combat. Sans la garantie de décrocher la médaille de bravoure à titre posthume. Je lance un regard torve à la Cadillac. Et si cette montagne diffusait effectivement la scoumoune ? Match annulé.

Deux lunes plus tard, nous frimons au *Kung-Fu*, un dancing-bar de Bandal. Assis dans la partie découverte du bar, nous creusons en mâchant des noix de cola. Ça dessoûle et sert de Viagra. Méthé est égale à elle-même avec sa gueule de faire-part. Bien qu'elle rechigne à danser, elle décolle de la chaise à mon geste et sollicite mon accord avant de gigoter avec tel tordu venu en solo, sans sa petite nana, comme s'il allait dansser le ndombolo avec une chaise.

Agitation habituelle à la grille d'entrée. Des resquilleurs qui, à l'approche de la fin du concert, veulent s'éclater alors que les portiers s'y opposent. Des injures fusent. Une bousculade s'ensuit. Nous en profitons, Méthé et moi, pour dégraisser sur la piste. La Cadillac, qui me dévore de ses yeux blancs ensorceleurs, m'enveloppe dans ses bras immenses. Le Nyiragongo couve en moi.

Deux longues chansons plus tard, le calme est revenu dans notre secteur. Nous constatons néanmoins que des clients se cassent alors que, d'ordinaire, ils campent dans le bar après le concert. Méthé veut partir. Pour toute réponse, je lui montre les deux bières non consommées. Tchin-tchin !

Les portiers détalent tout à coup, renversent tables et chaises sur leur passage et sautent, à l'extrême opposé de l'entrée, la cloison servant d'enceinte au *Kung-Fu*. Dans leur fuite, ils entraînent les couards assis autour de la grille. Le temps de ruminer comment des microbes peuvent franchir, en cas de danger, des obstacles de plus d'un mètre de haut, je me retourne. Pour constater la disparition de Méthé. Je ne l'ai pourtant pas entendue décarrer.

L'entrée forcée, des militaires en civil investissent le bar. Aucun doute quant à leur appartenance, vu qu'ils pavoisent avec des gourdins et des barres de fer. Armée de métier. Des mecs tirés à quatre épingles se planquent, tels des rats, derrière le matériel de musique ou aux waters. Impossible de prendre la tangente. On est cuit.

Comme une dizaine d'autres clients, je plonge mon pif dans le verre et n'ose jouer aux astronomes. La pétoche s'empare de ma frime, tandis que les mutins patrouillent dans le bar. Ça cogne ici et là, ça menace de mort violente. L'un d'eux s'approche de moi à pas de léopard. Comme je reste incliné, preuve par neuf de mauvaise conscience, il m'assène un coup de gourdin. Je sursaute, porte une main à la boule. Saignant.

« Tu étais aussi à la porte, aboie-t-il. Je t'ai reconnu à tes loupes.

– J'ai pas bougé d'ici, grand chef, soupirai-je sur un ton gnan-gnan des plus attendrissants. Le chef d'orchestre, qui est un ami personnel, peut en témoigner…

– Si t'as pas bougé, t'as donc vu les bandits qui ont éborgné notre collègue. Où sont-ils passés ? »

Première nouvelle. Impliqué dans une telle embrouille, on risque de payer les crimes d'autrui, dussent-ils dater de Kongo-di-Ntotila, l'ancêtre légendaire des Bakongo. Trois matamores m'assiègent à présent. Le connard qui me tyrannise est baraqué, façon forestier descendu la veille de son arbre. Seul, d'homme à homme, je lui rendrais son pareil, même de manière symbolique. Mais, entouré du bataillon, j'ai intérêt à faire profil bas. Je n'ose pas avouer mon job de crayonneux. Ils m'écharperaient. Ennemi public. Prenant soin de ne pas le fixer, je lui montre, du doigt, la direction prise par les fuyards.

Le salopard, profitant de sa position dominante, m'assène un autre coup, au même endroit, puis m'enjoint de tracer. Un coup de pied au cul m'oblige à passer les vitesses. Parvenu devant la grille, je me retourne afin de zoomer la tronche du zigoto. Mon regard tombe sur le bétail que les vaillants soldats viennent de débusquer dans le snack. Les mâles sont alignés d'un côté, les femelles de l'autre. Méthé domine le troupeau par sa stature de reine mère. Je me dis que les mecs vont être humiliés, puis relâchés après avoir contribué à l'ordinaire des défenseurs de la bananeraie. Quant aux poules, inutile de préjuger de leur fin de soirée. Viol. Pour un crevard qui n'aura plus à fermer un œil avant de canarder.

Trois autres virées avec Méthé se terminent en foirades. La plus désastreuse a lieu la fois où, à bord d'un taxi, nous plongeons dans un canal, heureusement à sec, après avoir provoqué un accident. Entre-temps, les *Deux Manguiers* ont fermé, ce qui m'oblige à sortir la Cadillac du garage. Quand j'y arrive, cette fois-là, muni d'un cadeau rapporté d'un voyage, des chaises dispersées dans la parcelle me titillent. Je hèle un gamin, lui demande d'aller me chercher la sirène.

« Vous voyez pas les chaises ? rétorque le garçon après un temps de silence. Elle est morte avant-hier.

– Malade ? »

Le bonhomme examine ma carcasse de criseur[1]. Puis ajoute, le regard vicieux, que Méthé avait pas

1. Victime de la crise, désargenté. (N.d.A.)

mal fondu ces derniers temps. La sale « bestiole »[1]. Dix ans de plantages pour parvenir à l'apothéose. La cochonne.

1. Virus du sida. (N.d.A.)

Week-end de la Pentecôte

LES CRASSES DES PARENTS retombent sur leurs mouflets, dixit la Bible, jusqu'à la énième génération. Taratata ! Qu'ai-je, moi, à branler de cette compta bizarroïde dès lors que je trimbale une « pierre dans le ventre » : pierre – ne s'agirait-il pas d'un fibrome ? – que personne n'a vue mais dont on ressasse, dans mon dos, qu'elle m'assurerait d'une stérilité coriace ? En quoi cette prédiction peut-elle me concerner, vu que j'assume, depuis la mort de mes dabs, le rôle de tiroir-caisse de trois tintins-furax ? Du reste, la mer qui nous sépare est telle que j'ai toujours considéré ces faux jetons, pourtant issus des mêmes œuvres que ma poire, comme des frelots par accident.

De douze ans mon cadet, le jeunot de ce triste héritage, vingt piges imméritées, échoue souvent chez bibi, à une heure indue, parce qu'il ne peut regagner son bidonville. À chaque fois, ses prétextes dénotent la provoc : cuite carabinée, manque de transport, frime de disposer d'un point de chute. Que voulez-vous que j'y fasse ? Un frangin, aussi flambé soit-il, reste un frangin. Je suis donc loin de réaliser la nature de mon fardeau quand j'entends, cette nuit, frapper à la porte. Le réveil indique trois heures. Je me lève de mauvaise grâce et enfile un pagne, l'esprit au poison que je devine dehors.

Kulabitsh entre dans sa forme olympique, bourré comme une vache, et me lance un salut empesté d'alcool et de hasch. Son état me laisse doublement sur les rotules. D'une part, je ne l'ai jamais vu ramper si bas, ce qui blesse mon honneur, bien que souvent bafoué, de garante de la saga familiale ; d'autre part, il a toujours nié gazer au chanvre. Indifférent à ma rage sourde, le parasite s'affale sur le divan et, sûr de ses droits inaliénables, réclame une bibine. Pour étancher sa soif, ajoute-t-il dans le but évident de tester mes nerfs.

« Qu'est-ce que t'as fait à Beya ? » je réponds pour esquiver sa demande.

Un mois que je n'avais pas souffert le foutriquet. Etalé sur le divan, il m'apparaît encore plus paumé. Ses cheveux sales, ébouriffés, tirent de l'adepte d'une secte rasta récusant l'hygiène. Son regard est trouble, fuyant tout contact avec le mien. Que peut-il bien cacher alors qu'on le voit déplumé en dépit de ses nippes ? Dire que j'essaie, par mon job et mes relations, de sauver la face en casant de tels déchets de la société ! Surpris par ma question, Kulabitsh me braque ses yeux éteints en murmurant :

« La pétasse ! Elle n'a eu que ce qu'elle mérite.

– Elle t'aime beaucoup, la petite…

– Laisse tomber, la sœur. Je t'ai demandé une bière… »

Le regard effaré se pose à nouveau sur moi. Ma curiosité l'emporte au finish sur la fermeté, et je vais lui chercher son biberon. Un arbre courbé ne peut être redressé.

Kulabitsh avale deux rasades d'affilée, arrêtant net le hoquet qui le fragilise. Quand il s'apprête à siffler la troisième, je mets d'autorité le holà, forte de ma position de cheftaine. La suite relève du scénario connu : le numéro se met à renifler, puis à zerver, agrémentant son cinoche bidon de plaintes sur sa vie fichue. Loin d'être remuée, je le regarde chialer avec méfiance : ou le cas social mijote un coup tordu, question de me soutirer du fric, ou il surnage dans la phase critique où tout vide-bouteilles, fouinant dans son tréfonds, revit sa longue dérive. En somme, le début de la sagesse.

Sa crise digérée, le coco accroche les clignots au plafond. Des reniflements le privent encore un moment de sa tchatche, après quoi il dégoise. Mollo.

« Crois-moi, la sœur, j'aurais jamais voulu te mouiller dans ce merdier…

– De quoi s'agit-il ? » tonné-je, un brin sur la défensive, avec l'inflexion que me confère mon statut.

Sa copine en titre et lui-même se réveillent assez tôt, il y a quelque temps, pour ne pas louper le train. Les tourtereaux ont décidé de filer dans la ville portuaire, à 350 kilomètres de la capitale, pour y passer le week-end. Vicky, sa donzelle, prépare le sac de voyage dans la chambre; Kulabitsh s'affaire au salon. Soudain, des bruits de chaussures de dames éveillent son sixième sens. Il se lève, tombe sur Beya. Il n'avait pas rendez-vous avec la nana, qu'il appelle affectueusement baby. Tilt dans sa tête: éviter le clash dans son mini-harem. En effet, si Vicky pratique la jalousie de combat, Beya, une mineure délurée, n'a rien à apprendre de la vie. Le beau gosse fuse dehors, entraîne la morue dans le voisinage. La gonzesse, qui tenait à couler le week-end en sa compagnie, lui joue une partition digne d'une traînée. Kulabitsh parvient toutefois à l'embobiner, tant et si bien que la gamine, furieuse, se casse.

Au retour du week-end, le play-boy raccompagne Vicky à son domicile, puis regagne sa niche. La nuit est tombée. Sa logeuse, qui vit mal sa ménopause, lui refile une convocation en proférant des menaces: elle ne veut point de locataires à problèmes et s'oppose à ce qu'un bordel s'installe dans sa parcelle. Kulabitsh encaisse, prend connaissance de la convocation. Rien de précis n'y figure, hormis l'injonction de pointer d'urgence à la gendarmerie «pour une affaire vous concernant». N'ayant rien à se reprocher, il court au poste. Le permanent de nuit le félicite pour son esprit civique, puis le place en garde à vue. Explications le lendemain.

Le gogo tombe des nues quand deux gendarmes l'introduisent, le lendemain matin, dans le bureau du chef de poste: le père et le frangin de Beya encadrent la morue, qui garde la tête baissée. Durant une longue minute, Kulabitsh tente de percer le mystère de sa garde à vue et de ces retrouvailles insolites. Des hypothèses lui viennent à l'esprit mais, aucune ne l'affranchit. Beya, tête toujours baissée, n'ose le mater, tandis que son frère, en narzo médaillé pour son emprise sur sa cadette, lui lance des dards venimeux.

Au moment où il veut occuper une chaise, tout le monde étant assis autour du bureau, Kulabitsh est soulevé par deux poignes d'acier. En position fixe. Bras croisés. Il prête ses loches sous bonne garde.

« T'aurais dû me prévenir ! je l'interromps, ulcérée par ces pratiques arbitraires.

– Ils m'ont refusé tout contact avec l'extérieur. Personne n'a d'ailleurs su que j'avais été bouclé. »

D'emblée, le sous-lieute lui signifie qu'il est accusé de détournement de mineure, en la personne de Beya ci-présente, et qu'une plainte a été déposée contre lui par sa famille. Démonté par cette entrée en matière, Kulabitsh tourne la citrouille autour de lui : des regards hostiles le remettent en phase. Entre-temps, la gradaille poursuit l'interrogatoire en lui demandant où il s'était rendu en fin de semaine, avec qui, par quel moyen. Réponses sans ambiguïtés du touriste. Le sous-lieute pousse ensuite la nénette à confesse.

« La sœur, s'écrie Kulabitsh en s'agitant, ce fut la totale. À la question de savoir où elle avait passé le week-end, cette garce a marmonné, en me désignant du doigt, qu'on avait été ensemble en vadrouille ! »

Le play-boy, bouche bée, dévore la nana sans rien comprendre. Chercherait-elle un alibi après avoir fugué ? Dans ce cas, pourquoi veut-elle lui faire porter le chapeau ? Ne réalise-t-elle pas la gravité d'une telle affirmation devant cette association momentanée contre son étoile ? Au reste, comment peut-on mentir aussi froidement ? Sa logeuse, des amis l'avaient vu partir avec Vicky et peuvent en témoigner. Le jeune homme veut protester, mais un gendarme lui cloue le bec avant qu'il ne l'ait ouvert.

« Ce n'était là qu'un avant-goût, poursuit le frangin en fermant les poings. Car la salope, en réponse aux questions posées, a prétendu que notre relation, qui remonte à deux mois, date de six mois. Elle a même allégué que c'est moi qui l'ai décapsulée…

– Alors, ce n'est pas vrai ?

– Je te l'jure, la sœur : c'est dans un… tunnel que j'ai ramé la première fois. J'ai même pas recouru aux préliminaires. Une passoire. Mais cet off merdique n'a rien voulu savoir… »

Le chef de poste décide une expertise médicale. Beya ayant soutenu qu'elle n'avait pas été consentante, il faut prouver le viol et le dater afin de confondre le délinquant. Quant à la plainte pour détournement de faux poids, il la laisse en suspens, puisque l'intéressée avoue s'être déplacée de son plein gré. Vu la gravité des faits, le sous-lieute signifie à Kulabitsh la prolongation de sa garde à vue. Sa relaxe ou sa mise à la disposition du parquet interviendra au retour de l'expertise médicale.

Huit jours après, la réponse tombe sur le bureau du zorro. Hamdoullah ! Beya mouille depuis deux lunes, bien avant de subir l'assaut de son pseudo-violeur. Relâché avec les excuses de la République, Kulabitsh ne peut toutefois pas quitter les locaux de la gendarmerie : le clan ennemi assiège le poste, équipé de fléchettes empoisonnées, en vue de fêter sa sortie. Il appert que des ténors de la tribu sont venus du village pour la circonstance. Ne voyant pas leur fille revenir au bout de trois jours, ses dabs avaient appréhendé le pire, d'où l'alerte donnée aux leurs en perspective d'un deuil. Sa sécurité ne pouvant être assurée dans les couloirs, et encore moins dehors, le jeune homme savoure les bienfaits d'un hammam dans une cellule surpeuplée.

« Quelle embrouille ! ne puis-je m'empêcher de lâcher. Je parie que les parents de Beya, décidés à la caser coûte que coûte, l'avaient obligée à mentir…

– Dans quel but ?

– Te coincer. T'amener à choisir entre la taule, ce que tu as risqué au regard de l'accusation, ou le mariage avec leur fille, chose qui leur évitait de bercer un petit-fils de père inconnu. Comment ça s'est terminé ? »

Trois jours supplémentaires de régime carcéral. Des haricots mal cuits midi et soir. Claper ou crever la dalle. Chiasse. Les assiégeants, que les gendarmes n'osent déloger de peur d'un carnage, finissent par décamper d'eux-mêmes.

De retour chez soi, Kulabitsh essuie sa proprio. La damoche lui livre sa pensée unique sur les chauds lapins, viveurs et autres crapules de son espèce. Preuve qu'elle a subi des pressions, elle le somme de libérer sa piaule illico presto. Le contrat de bail ? Elle n'en a rien à secouer. Ne paie-t-il pas ses loyers en retard ? Le bonhomme loge dès lors chez un pote ou l'autre, picole, carbure au hasch. Viré de son boulot pour abandon de poste, il tente d'attendrir l'ayatollah de service sur son sort, mais celui-ci reste intransigeant. La traîtrise de Beya l'obsède à ses moments de lucidité. Percer la cabale, connaître la vérité.

Après plusieurs tentatives, il parvient à accrocher la nana, de nuit, dans les parages de chez elle. La morue, décidément pas nette, fait montre d'amnésie en voulant lui lécher les amygdales. Kulabitsh la repousse avec héroïsme, lui crache son fait. Le faux poids reconnaît tout de go l'avoir chargé, à l'instigation de ses dabs, pour ne pas le perdre. Qu'il ait été coffré, elle lui aurait prouvé son amour gros comme un pamplemousse en lui rendant visite lors de ses congés scolaires. Le cavaleur craque : la gonzesse est barjo. Baffe. Des hurlements.

« Quand est-ce que ça s'est passé ?

– Tout à l'heure, la sœur !

– Tu ne vas pas dire que tu sors, à l'instant, du cachot. Ta mésaventure, si j'ai bien compris, date !

– Tout à fait. Vicky et moi étions partis dans la ville portuaire au cours d'un long week-end…

– Le dernier long week-end remonte à la Pentecôte, il y a presque un mois. Beya avait débarqué ici vers dix heures. Je m'en souviens très bien : elle était en larmes et n'avait pas desserré les dents, sauf pour dire que tu venais de la plaquer, dans la rue, parce qu'une autre nana créchait dans ta piaule. Elle est restée ici pendant quatre jours…

– Quoi ? s'écrie le frangin d'une voix brisée. Tu veux dire que ma baby était ici pendant mon absence ?

– Elle s'est calfeutrée le premier jour et n'a même pas voulu manger. Puis elle m'a aidée, les jours suivants, aux travaux ménagers. Une perle, malgré ce que tu en penses… »

Le visage du fils de mon père se décompose, signe qu'il est profondément perturbé. Pendant une minute interminable, il ne bouge ni ne desserre les dents. Il se lève après, tourne autour de la table. Son abattement est tel que je ne sais à quoi penser.

« Qu'est-ce t'as, Kula ?

– La sœur, les flics vont débarquer ici tôt ou tard. Il faut que je quitte la ville. Pour très longtemps. Mais je n'ai pas un rond et ne sais où aller…

– Que s'est-il passé ?

– Son frangin, alerté par les cris, a surgi dans le noir en vociférant comme un cinglé. Il tenait un couteau à la main. J'ai eu vite fait de le désarmer et de l'envoyer valdinguer. Pendant ce temps, Beya criait à tue-tête que je n'avais pas à toucher un cheveu de son grand-frère, ce qui a ameuté les gens et m'a obligé de lui filer des mandales. Son frère, profitant de la diversion, a tenté de récupérer le couteau. Je l'en ai empêché, puis l'ai fait valser. Beya a encore pris son parti en me rouant de coups. Hors de moi, j'ai ramassé le couteau et ai frappé. Juste au moment où elle s'interposait entre moi et ce zonard. Impardonnable. »

TORNADE TROPICALE

PANGA NE SAIT PLUS où donner de la tête. Cela fait quelques heures qu'il pleut sans discontinuer. Non pas la petite flotte rafraîchissante, somme toute souhaitée après des journées caniculaires, mais la tornade dévastatrice, accompagnée d'éclairs et de tonnerre. Elle s'abat sur son univers comme si, là-haut, sur une nappe nuageuse, un ancêtre haineux avait voulu le punir pour un sacrifice non accompli. Pendant plus de deux heures, voire trois heures d'affilée, ça gronde, ça vente, ça crache des trombes d'eau violentes. Puis ça diminue d'intensité et ça s'arrête. Trêve de courte durée. Car les éléments reviennent à la charge, se déchaînent, déversent toute la hargne du ciel pendant une autre éternité.

Dès le commencement de l'enfer, aux environs de minuit, Panga s'était réveillé en sursaut. Il avait jailli de sa chambre, un pagne noué autour des reins, et s'était décarcassé. Deux seaux et une bassine libérés de leur contenu, il les avait posés aux endroits où la toiture, un assemblage de tôles acquises de seconde main, laissait couler la sauce. Cela n'avait pas suffi, puisque ça giclait de partout comme mille chasses d'eau tirées simultanément. Des marmites, des gobelets, tous les récipients disponibles dans la maison ayant été posés ça et là, il avait fallu déménager les quatre gosses de leur chambrette, devenue marigot, et les caser dans un coin de la pièce centrale.

À peine étalés sur des nattes, les mômes avaient dû renoncer à dormir afin de participer à l'effort de guerre : vider les récipients au fur et à mesure qu'ils se remplissaient. Entre-temps, lui-même s'était attelé à boucher les tôles pourries avec de la pâte de manioc. Tâche absurde. Le temps de monter sur un tabouret et de s'attaquer à une brèche, celle qu'il venait de colmater avait éjecté le foufou délayé, renouant illico avec sa fonction de jet d'eau. Désespérant.

Accalmie soudaine, troublée par des coassements lugubres. Piège ridicule de Nzakumba le Barbu, grogne Panga en ouvrant la petite fenêtre en bois. Les yeux hagards, il scrute la coupole à la recherche d'un signe qui le démentirait. Aucune étoile au firmament. Ni l'arc-en-ciel. Pourquoi subir ce châtiment ? se demande-t-il en suivant les mômes qui vidaient les derniers récipients avant de se recoucher.

Devant lui, à dix pas du seuil, la crevasse draine des eaux torrentielles d'un rouge argileux. Les eaux écumantes ont emporté la planche qui permet à sa famille de rejoindre la civilisation, à tout le moins le souk immonde niché au pied de la montagne. À chaque pluie, cette crevasse s'élargit en sapant les assises de sa piaule. Sa cour, naguère un terrain de jeux pour sa nichée, tient à la fin d'une tranche d'ananas aux trois quarts rongée.

Malgré le noir compact, Panga survole les parcelles qui s'étendent à l'horizon. Quelques voisins, dégonflés ou frappés dans leur chair, avaient fini par déserter le bled. Débarqués ici il y a trois décennies, ils avaient cru accéder à la propriété en achetant, à vil prix, ces lopins de terre de désolation. Rien n'y poussait, hormis des arbustes rabougris et des plantes vouées au coupe-coupe. Les occupants eurent vite fait de les extirper pour torcher qui un abri de fortune, qui une baraque, qui un nid prétendument en dur. Des myriades de cabanes jaillirent ainsi sur les flancs de la montagne, formant un bidonville que les bien-pensants baptisèrent « zone annexe ». Plus qu'un besoin de disposer d'un toit ou d'un titre cadastral, ce fichu document restant d'ailleurs sans valeur pour l'administration, une volonté de contrer la fatalité animait les pionniers. Au fil des ans, ils eurent cependant à payer, chacun à son tour, la folie de s'être installés sur ces terres snobées par les nantis : déboisé, le terrain se fendait comme un mur bâclé, offrant ses entrailles béantes en guise de tombes à une population déshéritée.

Un craquement tire Panga de sa rêverie. Et si ses craintes se justifiaient ? Prenant la lampe tempête, il déboule dans la chambrette des gosses, procède à un examen minutieux. Rien d'anormal dans la charpente, excepté les gouttelettes qui tombent sans relâche. Fidepute ! Putain-con ! Bordel de merde, cela va-t-il s'arrêter ou non ?

Sans s'en rendre compte, Panga baisse les bras dans un mouvement d'abattement. Il a conscience d'être l'acteur passif d'un drame inéluctable. Impuissance. Colère. Kesekça ? peste-t-il tout à coup devant la balafre qui s'imprime dans ses yeux. La lampe soulevée, il tombe, horrifié, sur la fente qui lézarde le mur extérieur. Sa famille se trouve en danger, rumine-t-il, affolé. Il faut l'évacuer au plus vite. Mais vers quelle destination, son plus proche parent habitant loin du paradis perdu ?

Panga s'approche du mur afin de vérifier l'importance de la fente. Aucun doute n'est plus permis : le palais de ses rêves va s'écrouler. Comme pour éviter qu'il ne lui tombe dessus, il recule, bute sur quelque chose. Plié en deux, il découvre, catastrophé, que le pavement est également fissuré. Un maçon confirmé, bénéficiant – il est vrai – de son concours de touche-à-tout, avait pourtant mis sa science dans la construction de la baraque ! Ne lui avait-il pas fait cracher la peau des fesses, sous prétexte de jeter des fondements aussi solides que ceux d'une salle des coffres ?

Après avoir examiné la cassure, Panga remonte le mur et constate que la fente a pris naissance au sol. Le désastre. La piaule de merde, sapée dans ses assises, n'est plus qu'un château de cartes. Et sa femme, alitée, qui ne peut bouger ! Dehors, la pluie martèle la toiture un cran plus fort.

« Zahina ! crie-t-il dès son retour dans la pièce principale, il faut déguerpir. La taule va s'effondrer.

– Je ne m'en sens pas capable, geint la malade.

– Rappelle-toi les Kilandamoko. C'était la dernière saison des pluies. On les a retrouvés ensevelis sous les gravats de leur maison. Allez, les enfants, magnez-vous ! »

Tandis que la maisonnée fourre dans un sac des effets de première nécessité, Panga resserre nerveusement son pagne, puis se glisse dehors. Marchant à l'aveuglette, il surgit derrière la baraque pour un examen ultime : la crevasse de derrière, qui a balayé le petit coin la saison précédente, s'est encore élargie. Les éclairs lui prêtent une affreuse gueule d'ogre. Provenant d'un point situé plus haut, elle forme, avec la crevasse de devant, deux bras tentaculaires qui enserrent la bicoque et vont l'engloutir. Son oasis est condamnée. Tant d'années de sacrifices pour essuyer cette douche ! Déprimant.

Le cœur en peine, Panga contourne son palais en rasant le mur, longe la crevasse de devant. Un moment, il tourne en rond sous la pluie, déboussolé. Puis récupère, à deux encablures de son logis, la planche de traversée. La pièce, qui est recourbée dans sa partie centrale, mesure plus de quatre mètres. Après avoir repéré un passage étroit, il jette son pont de fortune.

Zahina, sa femme, ne peut transporter sa dernière-née et l'a confiée à leur aîné de huit ans. Parfait, approuve le chef de famille en briefant son monde : une fois de l'autre côté, foncer chez Papa Mapassa, le père des jumeaux, et y attendre la fin du cauchemar. Quant à lui, il les rejoindra plus tard.

La maisonnée part en exil sous une pluie battante. La mère, un pagne sur la tête, traîne un bambin, suivie de deux marmots dont le plus grand transporte la cadette d'un an sur son dos. La terre boueuse se colle aux babouches en procurant aux fuyards l'impression d'avoir des semelles épaisses.

Panga teste la solidité du pont. La patte posée sur une extrémité de la planche, il exhorte les siens d'ignorer les eaux en furie et de fixer l'autre bout de la passerelle. Cela dit, il enjoint Zahina de traverser avec un gamin. Habitués à cet exercice, quoique troublé par le grondement des eaux, les fugitifs rejoignent l'autre rive sans encombre. Un autre gamin passe, l'aîné s'engage à son tour avec sa charge.

Un craquement paralyse subitement la tribu. La seconde d'après, un affaissement rompt la monotonie du mauvais temps. Entre deux éclairs, les sinistrés notent qu'une partie de la bicoque a disparu du paysage. Pour une raison inexplicable, le père veut s'élancer vers les ruines, se ravise. Libérée un instant de la pression, la passerelle plie sous le poids du gamin. Celui-ci, figé en pleine traversée pour graver l'image de l'effondrement dans sa mémoire, s'assure d'instinct de la présence de sa sœur, puis étend les bras en vue de rétablir son équilibre. Au même moment, le père repose son pied sur la planche, lui imprimant un mouvement contraire. Le petit sursaute avec sa charge, perd pied et plonge dans les eaux furieuses. La tornade reprend aussitôt de plus belle.

Destin tragique

« NOUS SOMMES la risée du quartier, Palmira, et ça, t'es pas foutue de le comprendre. Tu t'imagines : moi, deux fois papy à quarante ans ! Et je ne parle pas de toi. La honte. C'est avec ta complicité que ce Zaïrien – comment les appelle-t-on encore ? – est entré dans cette maison. Un faux-cul. Toujours en train de boire, de danser et de magouiller. Tu soutenais qu'il est le fils d'un pape – sans doute autoproclamé – d'une Église du Christ sur la terre par le prophète Truc-Machin, comme si cela pouvait m'impressionner... »

Planté au milieu de la pièce, Manuel fulmine en créole capverdien. Il gesticule, pointe un index accusateur sur sa compagne. Le corps décharné, d'une maigreur choquante pour un cordon-bleu, il secoue les puces et à sa femme et à sa progéniture. Ceux-ci avalaient, devant le petit écran, leur dose quotidienne de série américaine. Pelotonnée dans un fauteuil, éreintée par une dure journée de travail et par les facéties de ses mômes, Palmira pleure. Manuel n'en est pas à sa première scène sur le sujet.

Linda, leur bébé de quinze printemps, s'entiche, il y a deux ans, d'un Zaïrois de cinq piges son aîné. Le lascar fait montre d'outrecuidance au point de débarquer sous leur toit, en leur absence, et de s'y prélasser. Les mouflets subissent le coco, qui, à la longue, se conduit en grand frère. Pendant des mois, les parents ignorent ses descentes régulières dans la maison. Pourtant, le sans-gêne s'y restaure, y pique un somme, se sert au frigo, tient des séances « enfants non admis » avec sa copine. Jusqu'aux résultats scolaires de Linda. Médiocres. La vérité éclate alors au grand jour : les langues se délient, permettant, entre autres choses, la découverte du carnet de liaison jamais signé, les absences répétées de Linda à l'école, les convocations restées sans suite. La maman évente en prime l'état de sa fille : enceinte. Trop tard. Renvoyée du collège.

Le père entre dans une sainte colère, jure d'étrangler le trouble-fête de ses propres mains. N'a-t-il pas couvert sa famille de déshonneur ? Après avoir piégé le mauvais génie, il le surprend en flagrant délit de squatt, vautré dans un fauteuil, une jambe posée sur l'autre. Loin de se confondre en excuses, le produit du mobutisme se meut mollement, dégaine subito un cutter et menace de saigner le donneur de leçons. Manuel, qui n'a jamais vu ça, bat en retraite. Humilié. Dépassé. D'autant que Linda rejoint son béguin dans le foyer où il vit.

Elle y accouche par césarienne, rentre au bercail avec le bâtard. Bondia papy !

Les conseils prodigués à la fille mère entrent par une oreille et sortent par l'autre. Vous faites vieux jeu, lance-t-elle à ses vieux lorsqu'ils l'asticotent. Grande, elle a fait son choix. Les délices de la vie ? Elle ne s'imagine pas les croquer sans son boy-friend, qui sort quasiment de la clandestinité. Le quartier le connaît. Pour ses disputes en public avec sa chérie. Une brute. Doublée d'un malappris. Voilà qu'il remet ça, puisque Linda attend à nouveau famille…

« Tu ne la surveilles pas assez ! tonne Manuel à l'adresse de son épouse.

– Comme toi, je suis absente de la journée : huit heures de ménage, matin et soir, sans compter le temps passé dans les transports. Je ne peux savoir ce qu'elle fabrique. De plus, notre fille ment comme elle respire…

– Elle est exactement comme toi : sournoise. T'avais aussi le même âge à sa naissance !

– Que veux-tu insinuer par là ? rétorque Palmira, un ton plus fort. Que je l'ai eue seule, comme la madone ? Qu'est-ce que tu peux être ridicule !

– Moi, j'ai assumé. On était au pays. Et nous n'avons gêné personne, ce qui n'est pas leur cas. Nous trimons comme des bêtes de somme et, pendant ce temps, eux s'amusent à alourdir nos charges. À raison d'une bouche à nourrir tous les deux ans, notre retraite est compromise.

– Il faudra peut-être la soustraire à l'emprise de ce garçon, suggère Palmira, conciliante. La renvoyer, par exemple, à Mindelo…

– Tu crois que les assistantes sociales la laisseront partir ? Elle constitue leur gagne-pain. Ce qu'il lui faut, c'est crever. En pleines couches, sous les roues d'un train, par noyade… »

Manuel n'en peut plus. Le caniche sautillant à ses pieds, il jette un œil à la pendule : 21 heures. La promenade avec le toutou. Humer l'air frais du dehors, oublier sa honte. Deux fois papy à son âge ! Qu'allait-on raconter à São Vicente, son île natale ? Il s'empare de la laisse, attache le caniche et sort par la porte de devant.

Le temps est couvert. Bien qu'elle soit éclairée, la rue baigne dans une pénombre due à la présence d'une hêtraie. Celle-ci avait été repeuplée après la création de la ZAC, il y a une quinzaine d'années, et longeait la rue sur toute sa longueur, face au quartier pavillonnaire.

Manuel a aménagé son nid, construit avec ses économies, à force de patience. Un petit jardin fleurit dans la courette de devant, une serre et une lapinière occupent celle, un peu plus grande, de derrière. Situé à dix minutes de la gare de la SNCF, le pavillon se dresse à quelques encablures de la Seine, non loin du centre-ville d'une petite cité de l'Ouest francilien. Seul inconvénient : il avoisine un croisement. Nuisances assurées. On ne peut tout avoir.

Toujours assise sur le fauteuil, Palmira pleure en silence. Une mère accouche d'un enfant, dit un dicton, mais n'accouche jamais de son cœur. Comment faire comprendre à la petite qu'elle a embrassé un mauvais parti, que son idylle tournera court ? Se toquer d'un Zaïrois pur et dur ! Serait-elle sourde à ce qui se raconte sur cette tribu ?

Sans qu'elle y prête atention, ses oreilles perçoivent le vroum pétaradant d'une moto. L'instant d'après, un scratch, suivi d'une dislocation fracassante de pièces métalliques, la tire de son nuage. Encore un accident. Le énième d'une série non close. Carrefour de la mort. La perpète pour les chauffards.

Palmira fuse dehors, talonnée par ses mouflets. Le caniche, perturbé, se glisse en cata par la porte ouverte. La moto choit en travers de la route, à deux cents mètres du croisement. Tandis que le conducteur et sa passagère se relèvent péniblement, des voisins expertisent les dégâts à distance avant de jouer les SAMU.

« Où est passé votre père ? » demande Palmira, subitement inquiète, en roulant les yeux.

Des secondes passent. Un gosse beugle tout à coup en montrant une masse informe gisant sur le bord opposé de la chaussée. Le temps de zyeuter la chose et de saisir, Palmira voit le gamin, devenu hystérique, désigner un bras sanguinolent. Le membre, arraché du corps, tient dans une manche de chemise. Un concert de pleurs s'élève, alors qu'un autre gamin, flashant un morceau de jeans, découvre une jambe déchiquetée. Des lambeaux de chair apparaissent ici et là. Une tête décollée traîne dans le caniveau. Écrabouillée. Avec la chevelure épaisse de papy.

La Ripaille des ninjas

« VIEUX MUNDELE, votre drame, aussi débectant soit-il, n'offre aucune occasion de mastiquer ni de se renflouer. Un sacré P.A.S.[1] de la Banque mondiale. Bref, vous me demandez de pilonner, à mes risques et périls, des salopards de la pire espèce. Sans déconner, vous êtes déphasé jusqu'à l'os. Désolé de vous le dire malgré tout le respect que je vous dois… »

Le sexagénaire fixa le gringalet d'un air dépité. Mundele Ndombe de son nom, autrement dit le toubab à la peau noire, il méprisait les couilles molles. Bicause il avait roulé sa bosse dans la territoriale. Non pas aux postes de béni-oui-oui, ces strapontins anonymes, d'ordinaire réservés aux sous-merdes, commis auxiliaires et autres larbins polychiés par la brousse, mais au top niveau de

1. Programme d'ajustement structurel. (N.d.A.)

commandement. De la dernière fournée de chefs de centre extracoutumier – la municipalité indigène, selon le baragouin colonial –, il avait négocié sa retraite en qualité de secrétaire général de province et ce, après l'indépendance. C'est dire qu'il avait eu à prendre des décisions, à veiller à leur application. Jamais il n'avait cédé devant les groupes de pression, ni tergiversé sur son parti s'agissant de questions d'intérêt public. Il ne pouvait donc concevoir que rien ne soit tenté, sous prétexte que la racaille dictait sa loi. Au reste, les torche-culs locaux – toutes tendances confondues – avaient beau fustiger le règne de l'arbitraire, il n'en demeure pas moins qu'ils beuglaient l'existence d'un État de droit, partant, d'une justice.

Le retraité détourna son regard du journaliste, des larmes d'impuissance perlant dans ses yeux. Craignant d'exploser et de bidonner l'entretien, il battit des paupières, l'esprit au meilleur moyen de fléchir son vis-à-vis. Son scoop tenait pourtant la route, les faits parlaient d'eux-mêmes. Dire que le plumitif à la manque, non content d'appréhender des tuiles improbables, rêvassait en prime à sa graille, autrement dit au profit à tirer d'un chantage éventuel. À croire qu'il lui revenait, à lui, la victime, de pistonner des raclures de cet acabit.

Mundele Ndombe survola le bar, l'air de quêter un soutien parmi la clientèle : les cuitards poursuivaient allègrement leur communion avec Bacchus. Sa main droite fourrageant la tignasse poivrée, il grinça des dents, zyeuta à nouveau le résidu de fausse couche : le pisse-copie s'escrimait à préserver son équilibre sur une chaise amputée d'un pied. À des années-lumière de la table, il ingérait le drame avec désinvolture, sans états d'âme. Dépité par tant d'effronterie, le pensionné posa ses prunelles sur ses jumelles.

Mbo et Mpia étaient atterrées. Le temps de déguster la tasse imbuvable, elles s'étaient repliées sur elles-mêmes, soumises une nouvelle fois à l'outrage. Tresses défaites, traits ravagés par la nuit infernale et par les vaines démarches de la matinée, elles gardaient les bouilles baissées, humiliées.

Assise à sa gauche, Mbo, l'aînée, avait le dos tourné à l'entrée et les bras croisés sur la table. Alors que ses avant-bras exposaient des griffades dégueulasses, elle s'échinait à soustraire ses joues entaillées à la vue du reporter. Casée entre celui-ci et le père, sa sœur n'en menait pas large : son cou ressemblait à un tatouage bâclé, tant les griffures s'entrecroisaient dans tous les sens, comme dans une affreuse caricature. Des babouches bon marché aux pieds, les deux filles cachaient des robes souillées sous des pagnes noués autour de la taille. Les larmes taries, elles ruminaient à présent leur débine. Mais le coup vache du chieur d'encre, un coup à s'arracher les plumes, en pleurer de rage et tout chambouler, les anéantissait.

L'immense dancing-bar ressemblait à une porcherie abandonnée. Entrée et sortie par une porte en bois déglinguée. Les murs, défraîchis par une peinture laquée antédiluvienne, offraient ici et là des formes géométriques, tels des gribouillis de peintre naïf. Les grillages des fenêtres accumulaient les pollutions des années. Nul ne s'en approchait. La peur du tétanos. Certains malins les comparaient du reste, par dérision ou autoflagellation inconsciente, aux vitraux d'un sanctuaire profane. Le mobilier métallique avait vécu, la plupart des chaises tenaient sur trois pieds, des cratères dénivelaient le pavement. La piste de danse, constellée de trous béants, semblait vouée à des parties géantes d'*awélé*[1]. Pas un acrobate ne s'y hasardait, le moindre faux pas pouvant occasionner le plâtre. Pour tout couronner, la zizique crachotait des décibels. Les baffles pourris. À l'image de la cité poubelle.

Le crayonneux inclina la tête devant les masques chagrins. Il la releva au bout d'un moment, lorgna les nénettes. L'instant d'après, il soulevait son guindal. Mais l'attention convergée sur sa personne l'empêcha de conclure, l'obligeant à revivre le drame.

La soirée carburait depuis huit heures dans la vieille villa. Les invités, des gens du clan et des voisins, se frottaient les pinces à l'idée de réactiver les molaires cariées à force de mastiquer du vent. Certains squattaient les lieux depuis le matin, question de ne point louper une orgie sans quote-part préalable. L'hôte, le respecté Mundele Ndombe, monument vivant du quartier et son arbre à palabres, n'avait pas mégoté pour fêter ses filles revenues d'Europe, nanties de diplômes de coupe et couture.

1. Jeu de société africain. (N.d.A.)

Deux jours durant, il avait fouiné dans les arrière-cours du centre-ville, claquant ses allocs et raflant des victuailles généralement inaccessibles.

Mbo et Mpia brillaient dans des robes de soie en parfaite harmonie avec leur teint bois d'ébène. La vingtaine, bien carrossées, les frangines avaient passé l'avant-midi chez une tresseuse pro. Le résultat remuait le palpitant de plus d'un zigoto : des tresses emmêlées, sophistiquées, relevant du travail de fourmi et, n'en déplaise aux demeurés, piquées dans un publireportage du magazine *Amina*. D'une chaleur communicative, elles allaient d'un convive à l'autre, s'enquéraient de la santoche d'un chacun, déplorant par-ci un pote fauché par la sale bestiole, s'esclaffant par-là ou révélant leur projet d'ouvrir un atelier professionnel dans la parcelle familiale. Celle-ci se prêtait à souhait à une telle activité. Située à l'angle formé par deux rues donnant sur un rond-point, elle offrait maintes possibilités d'aménagement. Ses allures rétro, accentuées par une récente couche de chaux, en imposaient à l'environnement vétuste.

Deux couples du voisinage s'éclipsèrent à minuit. Ils furent bientôt suivis par d'autres couples. Gorgés, dopés gratis, les parasites déclinèrent les invites à poursuivre la bringue jusqu'à l'aube et à plus soif. Et décampèrent avec mouflets et accompagnateurs, créant un grand vide parmi les convives. Les adultes restants se retirèrent dans la villa, tandis que les jeunots gambillaient dans la cour. Les réverbères, qui s'allumaient par intermittence, leur donnaient l'illusion des spots de boîtes de nuit en filtrant la lumière à travers les branches d'arbre.

Un danseur cria tout à coup au sauve-qui-peut et mit les bouts. Les gens accoururent sans retard. Plantés devant la clôture, ils dévorèrent des yeux le camion de l'armée immobilisé devant la villa. Assis dans la cabine du camion, le chauffeur et un comparse observaient de même les curieux. Barbant. D'autant plus que la bâche du véhicule dégageait un silence pesant, chelou, preuve s'il en est d'une présence humaine.

L'arrivée d'une jeep confirma l'appréhension de l'assistance. La bâche s'ouvrit sur une dizaine de malabars excités, procurant des sueurs froides aux témoins : des desparados de l'armée accoutrés en civil. Les Ninjas. La poisse.

En deux temps trois mouvements, les sacripants, qui étaient sur le pied de guerre, bouclèrent le rond-point et déviérent la circulation, sommant les noctambules de déguerpir et les riverains de se cloîtrer.

D'autres forbans sautèrent dans la foulée du camion. Ils se lancèrent aussitôt dans une sordide manœuvre d'encerclement d'un nid ennemi. Avec ramping, roulé-boulé, quadrillage et tout le cirque de rigueur. Les fêtards ne demandèrent pas leur reste et détalèrent à toute blinde. Une mémé crut son heure venue de passer à la postérité en sautant la clôture. Les records planétaires pulvérisés, elle s'empêtra dans ses pagnes après avoir franchi l'obstacle, s'étala par terre. Out. La troupe, qui s'attendait à cette désertion massive, investit la villa pour procéder au recensement. Pièces d'identité exigées afin de faciliter cette opération nocturne éminemment civique : la carte de membre du défunt parti unique, à défaut, un certificat de baptême !

Un béret vert sauta sur ces entrefaites de la jeep, flanqué de deux gaillards en treillis. Râblé, la bedaine lestée d'un pétard et d'un poignard, le zouave arborait les insignes de major. Alors que ses gorilles braquaient des pétards en l'air, comme pour prévenir un coup tordu du ciel, le foudre de guerre crapahutait sur le trottoir piétonnier, tel un casse-cou sur un champ de mines.

Dès son irruption dans la villa, le chef militaire décocha des dards vipérins à la tribu, puis toisa le proprio. Mundele Ndombe ne sut où se terrer en reconnaissant l'intrus. Le rapport des forces établi, la gradaille cracha l'ordre de servir à boire et à manger au corps franc. Vaine requête. Les fantassins, accoutumés au self-service, activaient déjà les mandibules.

« C'est pas vrai ! s'insurgea Mbo, à l'évidence déphasée. Il faut appeler les keufs. Ces mecs n'ont pas l'droit... »

La mère tenta de la lui boucler. Mais la rebelle la repoussa sans ménagement, puis s'élança sur le major. Elle ne fit qu'un bond. Les gorilles, plus alertes, l'avaient ceinturée. Pas en manque de ressources, la nana canonna un molard dont la puissance de projection sidéra l'assistance : le jet visqueux atterrit sur le portrait du stratège et se mit à filer. Des moustiques bourdonnèrent dans la pièce. Tension max.

Contre toute attente, le major éclata d'un rire sardonique, entraînant sa garde rapprochée dans sa bonne humeur suspecte. Le mufle désinfecté, durcit, il agrippa la fille sans crier gare, la fit valser dans un mouvement tourbillonnaire violent et la cloua devant lui. Graillon.

« Tu ne le sais peut-être pas, grenouille : c'est l'armée qui fait la police dans ce pays, et personne d'autre. »

Mbo tituba sans que nul n'ait vu la taloche partir. Elle s'ébroua la tête comme sous le coup d'une crise épileptique, souleva sa main, la porta au clapet. La louche sous les yeux, maculée de sang, elle fut traversée par un haut-le-corps, dégurgita sans préavis et recula parmi les siens. Rangée. La terreur pivota sur ses talons, s'écroula dans un fauteuil. Examen du cadre pendant que la tribu s'essayait au langage mimique.

Le séjour était vaste, équipé de fauteuils « Boeing » dont les larges accoudoirs rappelaient l'envergure des premiers Jumbo jets. Armoire-vitrine démodée face à l'entrée, sono d'époque dans un angle, téloche en noir et blanc dans un autre. Antiquailles. Accrochés face à face, deux diplômes du mérite civique pendaient au-dessus des portes donnant sur le salon. Poussiéreux. Témoignages du passé. Du kif pour le poster, tiré trente ou quarante ans plus tôt, représentant le mandarin, alors jeunot et tout de blanc vêtu, en compagnie de deux toubabs. Collabo. Fourrée à côté de la cuisine, la salle à manger, qui venait d'être convertie en cantine par ses bras, regroupait ceux-ci dans un banquet bordélique. Vachement décontractés, les combattants piochaient dans les casseroles et se léchaient les pinces, preuves éloquentes de leur capacité d'adaptation. Des plats et des verres non consommés abondaient dans les coins et recoins du séjour. Le major retourna à la maisonnée, une moue de dégoût sur les babines.

« Quel gâchis, ces mets et verres non avalés ! Vous festoyez alors que nous claquons du bec pour assurer votre sécurité. Décapsulez-moi ce Johnnie Walker. Et fissa ! »

Le retraité prit la bouteille de l'armoire-vitrine et la posa sur la table basse, oubliant de proposer un glass au maréchal en gestation. Qu'à cela ne tienne ! Le galonné s'empara d'un verre, dont il balança le contenu sur son hôte. L'ancêtre ne broncha pas, écarquillant toutefois des yeux de stupeur devant telle classe. Le major rinça le guindal avec du scotch, aspergea à nouveau le vieux. La passivité de celui-ci acquise, il remplit le verre et s'envoya une lampée. Vive la République !

« T'es vacciné contre la crise, n'est-ce pas ? » lâcha-t-il après avoir rôté.

La question demeura sans réponse. Loin de s'en offusquer, le major dévora les trois femmes avec une délectation cochonne. Son observation suscitant le trouble dans le camp ennemi, il crut utile de le dédouaner :

« Tu tringles en prime trois chèvres en pleine pandémie ! Quelle injustice sociale ! Viens trinquer avec moi, on finira par trouver un compromis.

– … Le toubib me déconseille les alcools, Mon-major.

– Que ceci soit dit une fois pour toutes : les ordres, c'est moi qui les donne ! »

Et pan ! sur l'accoudoir. Le meuble ancien se disloqua dans un craquement sinistre. La terreur remplit de scotch un verre à moitié plein de bière et le tendit à l'habitant. Celui-ci saisit son calice, le porta à la margoulette. Alors qu'il allait boire, ses globes oculaires, en vol plané sur la figuration, interceptèrent l'insolite, l'empêchant de siffler le cocktail indigeste.

Sur un signe d'un gorille, les troufions s'agitaient subito au coin resto. Les arquebuses récupérées, ils se mirent à tournoyer dans la pièce, comme à la recherche de quelques trophées. Panique des assiégés à l'idée de vivre un pillage en direct. Mais les mutins se ruèrent à la cuisine, où deux fouineurs venaient de dégoter une dame-jeanne de Nabão, un vin estampillé portigue. Santé ! Entre deux coups, ils plongèrent les pattes dans les casseroles et s'en donnèrent par les babines, certains glissant des brochettes et des morcifs de poulet dans les poches. Provisions de guerre. Les lippes pourléchées et les pattes essuyées aux rideaux, ils surgirent dehors, tandis que les piquets du rond-point entraient dans la maison. À table, les z'enfants !

« Tchin-tchin, brailla le major à l'adresse du vieux, à notre soif ! »

Mundele Ndombe approcha son verre de sa bouche. Profitant de l'irruption du bataillon de relève, il déversa son contenu dans sa veste, par petits coups discrets, et récidiva pendant que les crevures raclaient les marmites. Manque de pot, un artilleur éventa la supercherie :

« Monmajor, le civil est en train de t'entuber. Y

boit nisco. À mon avis, c'est un mazout qu'il lui faut : un verre de son pipi avec une larme de mister Johnnie Walker ! »

La harde rappliqua à la seconde en vue d'assister à la séance de dégustation. Pas né de la veille, Mundele Ndombe éclusa sa dose en cinq sec, espérant de la sorte s'épargner le cocktail infect. Sa calebasse se mit aussitôt à tourner, ses tripes à gargouiller. Envie soudaine de vomir. En même temps, l'idée de chicoter[1] un pingouin, comme à l'époque de sa splendeur, germa dans sa caboche. En finir avec le spectacle humiliant. Sauver la face. Mais son regard circulaire lui apprit que son fantasme tenait du casse-pipe. Instinctivement, il baissa les yeux sur son fendard. Son absence, quoique de courte durée, alerta un autre fer de lance de l'armée nationale :

« Chef, ça sert à rien de gâcher du scotch pour cet ancêtre gaga : y vient de mouiller son froc !

– C'est ce style de poules mouillées qui veulent prendre les rênes de ce pays ! s'indigna le pilier du régime. Débarrasse-toi de ce falzar… »

Mbo et Mpia, horrifiées, s'abritèrent derrière leur mère. Pas question de voir le paternel en petite tenue. Le vieux se déloqua rapidos, stimulé dans son déshabillage par des coups de crosse au derrière. Le pantalon à ses pieds, il croisa les bras sur le slibar. Le commandant décréta une autre épreuve d'endurance :

« Tu vas nous exhiber le twist ou le jerk. Ça doit te rappeler ta jeunesse… »

1. Fouetter. (N.d.A.)

Le cercle battit la mesure de *Twist à Léo* de Manu Dibango et du bien défunt *Immortel African-Jazz*. Mundele Ndombe, sa réserve émoussée par l'alcool, démarra son one-man-show par un déhanchement débile. Les flûtes et les manivelles agitées à contretemps, il roula des reins, expédia le valseur aux quatre vents. Sa cadence maximale atteinte, il tourniqua le popotin dans les deux sens, se déchaîna. La galerie se marra et en redemanda. Les claviers toujours occupés à claper, elle applaudit à tout rompre, beugla des « ouais ! » enthousiastes et prolongea l'ovation au-delà du spectacle. Dîner dansant. Dans sa retraite, le harem garda les têtes baissées.

« Je t'ai déjà proposé un deal équitable, reprit le major sur un ton ambigu, mais tu sembles n'avoir pas saisi la portée de mon geste. Pourtant, j'aurais pu te virer sans compensation. Comme tu ne veux pas profiter de ma largesse, je vais t'aider à la prendre… »

Puis, s'adressant au corps expéditionnaire, il barrit d'une voix tonitruante :

« Dérouillez-moi ces « ma-sœur »[1] à la traîne ! »

Un silence lourd tomba sur la pièce. La tribu, qui n'en croyait ses oreilles, couvrit le guerrier en chef de regards interrogateurs. Un geste non équivoque réitéra l'ordre. Des supplications fusèrent aussitôt, tandis que les crevards, tous volontaires, se disputaient les proies, mettant le caïd en demeure de procéder à un tirage au sort. À défaut d'une pièce

1. Religieuses. (N.d.A.)

de monnaie, des billets de banque à six zéros prévalant sur la mitraille au pays de faux millionnaires, une capsule de bière soumit les combattants à une règle de jeu. Pile ou face.

Les poulettes ne résistèrent pas à la charge. Traînées manu militari, elles échouèrent dans la chambre des parents. Maléfique. La mère voulut contrer la partouze, mais un membre du commando lui assena un coup fumant sur la nuque, l'expédiant illico chez les ancêtres. Entre-temps, le fier Mundele faisait du surplace, les pattes couvrant ses attributs esquintés par une targette.

« Va te plaindre où tu veux, tonna le chef militaire en vidant la bouteille de scotch. Je t'accorde dix jours pour me céder cette parcelle à mon prix. J'ai pas mal de travaux à y effectuer, en commençant par la destruction de cette baraque. Mon délai n'étant plus reconductible, la prochaine visite sera fatale pour les tiens…

– Monmajor, marmonna le vieux d'une voix péteuse, la réponse à votre offre ne dépend pas de moi. Cette parcelle appartient aux miens depuis trois générations. Acquise par mon aïeul pour services rendus, d'où notre patronyme, elle relève du patrimoine familial…

– J'ai rien à cirer de tes fricotages tribaux, tempêta le client. Mes conditions ne changent donc pas. Autre chose : où sont les cadeaux que ces chèvres m'ont ramenés d'Europe ? Tu ne vas pas dire qu'elles ont oublié leur tonton ! »

Le père s'emmêla les pédales, transformant la visite de courtoisie en un pillage conforme aux traditions de l'armée. Sacs et valises venus de l'étranger furent éventrés, allégés. Casse gratuite, saisie de trophées. Deux heures trente chrono du début à la fin. Et pas un témoin.

Dès les premières heures de la matinée, Mundele Ndombe promena son monde d'un bureau à l'autre. Ses interlocuteurs, compréhensifs, avouèrent toutefois leur impuissance face à la dérive de certains éléments de l'armée. Un conseil lui fut cependant prodigué : saisir une feuille de l'opposition de la descente punitive, avec l'espoir que d'autres allaient la relayer et bouffer du zouave. Peut-être que ces tirs croisés donneraient lieu à une opération de nettoyage…

Le journaleux siffla sa mousse, s'en resservit une autre vite pompée. Ses états d'âme noyés, il bredouilla :

« Je plains votre mélasse, vieux Mundele, mais je ne peux m'exposer sans contrepartie. Nous avons affaire à une bande d'indisciplinés notoires, encouragés par les séides du régime en vue d'accréditer l'idée d'un pays chaotique sans la pogne de fer du tyran. Combien me donnerez-vous si je balance l'info, avec le nom et l'unité de votre persécuteur, puisque vous les connaissez ?

– Je n'ai pas d'argent, mon fils. Mes allocations de retraite ont été englouties dans cette maudite fête. Aidez-nous, je vous en conjure, Dieu vous le rendra…

– Vous avez plus besoin de Lui que moi, répliqua le plumitif. Cela dit, je me casse, vu qu'on n'a plus rien à causer. J'aimerais toutefois savoir pourquoi on vous a drivés sur moi. Serait-ce pour me piéger ?

– On a un peu d'thunes, papa, glissa Mbo alors que le fion se levait. C'est dégueu ce que propose ce monsieur, mais il représente notre dernier recours. On peut lui refiler quelque chose sur le capital de l'atelier de couture. J'ai planqué cet argent, dès notre retour, dans un lieu sûr. Et personne, même pas ma frangine ici présente, ne connaît la cachette…

– Des devises ? s'écria le loufiat, les narines frémissantes, en se rasseyant. Mais alors, ça gaze pour le papier… »

Puis, se tournant vers le retraité, il ajouta avec un plaisir mal dissimulé :

« C'est OK pour la tartine, vieux à moi ! Banco pour l'article. Ton bourreau va être servi. J'vais le descendre en flammes. Mais combien me propose cette charmante de moi… »

Le griffonneur ravala sa question en avisant l'entrée. Cinq crevards venaient de surgir alors que les baffles déversaient leurs décidels un cran plus fort. Mines patibulaires, yeux rougis de hasch, gueules de traviole. Le balèze du commando désigna le groupe à l'écart et fonça dans le bar, suivi d'un comparse. Les autres bloquèrent la lourde. Mbo, qui venait de saisir le regard affolé du crayonneur, tourna la tête et embrassa la scène : les Ninjas s'arrêtaient au milieu du bar, puis viraient vers la table isolée. Des pétards apparurent dans leurs louches et, devant l'assistance tétanisée, crachèrent le feu. Mundele Ndombe, en vieux singe à qui l'on n'apprend pas à faire des grimaces, plongea sous la table en entraînant Mpia. Le gratte-papier, une main sur son gri-gri de protection, reçut la balle dans la poire. De même que Mbo.

African-Soul

SHAMBUY n'a pas le triomphe discret. Expansif, il abat ses puissantes mains sur les épaules du régisseur, le secoue avec chaleur, saute sur un musicien de passage, l'étreint, en embrasse un autre, puis un troisième. Heureux. Look à la Don King, son maître à penser dans le show-biz et mentor historique de Mohammed Ali, le « big-manager » de l'orchestre African Soul ne sait comment faire partager sa joie. En tournée dans l'arrière-pays, son groupe vient de cartonner à l'issue de sa première prestation dans la ville minière.

Superbes, ses gars ont créé l'événement, spécialement le jeune chanteur si bien dénommé Chantal. Il fallait voir ça. Inouï. Après un léger flottement, par bonheur circonscrit à la demi-heure suivant le lever de rideau, Chantal a retrouvé sa forme des meilleurs jours. De sa voix efféminée, un brin nasillarde, il a électrisé le public, remué la salle, enflammé le voisinage. Des couples se sont rués sur la piste et n'en ont plus bougé. Tandis que des groupies assiégeaient le podium, des dizaines et des dizaines d'enragés, chauffés à bloc, montaient sur le plateau pour traduire leur panard. Et comment ! À deux, à trois, à quatre, ils exhibaient, chacun à son tour, le contenu de leurs lasagnes à une salle en délire, récoltant en retour des ovations nourries. Dans une mise en scène du cru, ils exécutaient ensuite la danse à la mode, sans surcharger la scène. Puis s'avançaient à la queue leu leu, lentement, comme dans une cérémonie de présentation des offrandes. Les gestes théâtraux, réglés pour entretenir le suspense, ils collaient le plus de billets possible – en grosses coupures, siou plaît ! – sur le visage en sueur de la vedette. Un sacre. Prélude à d'autres performances.

La recette dépassant les espérances, le big manager embarque ses poulains dans une tournée des grands-ducs. La virée est doublement payante, jure-t-il sur son parcours de croco : elle permet à ses gars non seulement de se détendre, mais aussi et surtout de les mettre en contact avec les viveurs de la bourgade, ce qui peut se répercuter, en espèces sonnantes et trébuchantes, sur les productions suivantes.

Un select club, situé dans le périmètre du lieu de concert, accueille la troupe bruyante. Les astres se révèlent une fois de plus favorables à Shambuy, puisque des allumés raquent à sa place. Mieux, c'est à qui offrirait le plus de bières et de J & B à ses hommes sans jeter l'éponge. Pas en reste, le proprio de la boîte, flatté par la visite impromptue et, bizness oblige, escomptant déjà ses retombées sur son établissement, met celui-ci à l'heure du groupe : le DJ balance de l'African Soul non-stop. Ambiance torride. Les artistes, d'abord regroupés dans un coin, se mêlent aux flambeurs et remontent la température. Bien que sollicité de toutes parts, Chantal échoue sur un cercle encore plus zinzin. Non content de maîtriser son répertoire et de le brailler, ce cercle, composé de jeunes sapeurs et de nénettes du même style, achète des poulets non détaillés. Fiesta.

Le big manager se retire avec quelques musiciens, aux petites heures, en conseillant la modération à ceux qui restent. La tournée, leur dit-il, n'en est qu'à ses débuts. Il les prie également de ménager les groupies, en préservant leur force de frappe financière, au risque de compromettre la suite du programme.

Pro jusqu'au bout des ongles, Shambuy hésite avant de sortir. Sa poule aux œufs d'or ! De son allure taurine, il traverse la boîte en diagonale, pique sur la table des gais lurons. Ceux-ci, irradiés par la compagnie de leur idole, ignorent sa présence et poursuivent leurs libations. Le big manager note cependant que Chantal, entouré de la bande qui, quelques heures auparavant, lui avait fait la fête, s'éclate plus que de coutume. Renonçant à sa petite idée, il sourit. Il faut que jeunesse se passe, semble-t-il dire en levant le bras, d'un geste paternel, avant de tourner les talons.

Le concert est tiède le jour suivant, marqué par l'absence du crooner. Comme personne ne sait comment il a terminé sa soirée, tout le monde suppose qu'il est sorti de la boîte défoncé, au bras d'une étoile filante, et qu'il cuve son vin. Le réveil est chaotique quand on n'a pas son BEP d'alcoolo. Shambuy impose à son équipe le black-out sur le fugueur. Pas question de nuire à la tournée à cause d'un inconscient, fut-il mégastar. Le big manager fouine parmi l'assistance éparse, espérant tomber sur les compagnons de nuit de sa vedette. En vain.

Relâche le lendemain. Et toujours pas de Chantal en vue. Affolement de l'imprésario en dépit des propos rassurants de son état-major : le jeune artiste, au demeurant originaire de la bourgade, serait tombé sur une queutarde insatiable. Il finirait par rappliquer, qui mieux est, défauché par sa ravisseuse. De nature sceptique, Shambuy fonce à l'antenne des services de sécurité. Ballon. Il parcourt la bourgade dans tous les sens, surgit dans la famille du cantador, enquête au marché. Tintin.

Bide cuisant lors de la troisième soirée : une centaine de gens campent devant la salle, comme pour un sit-in. Alors que l'orchestre joue les variétés depuis une heure, seulement une dizaine d'inconditionnels, parmi lesquels trois couples d'amis, lesquels, d'ailleurs, se casent dans un coin isolé, paient leur billet et franchissent l'entrée. Parcourir plus de 1 000 kilomètres pour s'époumoner devant des chaises !

Passant aux nouvelles, Shambuy apprend que des rumeurs folles circulent sur sa vedette et que son public, échaudé, boude l'orchestre. Sans la voix de Chantal, grogne un fan en le prenant à partie, l'African Soul ne vaut pas tripette. Shambuy constate également que les badauds, loin de tortiller des fesses et de gambiller, affichent des mines déconfites. Ses tentatives d'expliquer cette tiédeur se heurtent à un mur de silence. Un heureux hasard le met cependant en présence d'un notable. L'homme, surpris par la nouvelle de la disparition, soupçonne une bavure d'un service parallèle et lui conseille de voir le pacha de la bourgade, seule personne à même de le fixer.

Après une longue attente, le big manager entre enfin, le lendemain matin, dans le bureau du manitou. Rondouillet, le menton pareil à une caisse de résonance, le personnage est sans grâce, au verbe haut, fidèle à l'image qu'on lui avait faite. Intendant d'une localité stratégique, charge qui lui a valu le grade d'administrateur spécial, il échappe au contrôle de l'autorité régionale et relève, par quelque curieux artifice, de celui du Père de la nation. D'entrée de jeu, le nabab coupe le sifflet au visiteur :

« Comment faites-vous votre boulot ? C'est scandaleux. Je devrais vous expulser d'ici…

– Je ne comprends pas, Excellence…

– L'individu que vous cherchez a été arrêté, il y a trois jours, sans papiers, et c'est seulement maintenant que vous vous manifestez. Vous vous croyez où ? Dans la forêt ou dans une démocratie laxiste ?

– …

– Savez-vous avec qui il s'était acoquiné, l'autre soir ? Des bandits recherchés. Votre concert – c'est le seul mérite dont vous pouvez vous targuer

– les a débuchés de leur repaire. Pincés en flagrant délit d'association de malfaiteurs. Ils ont reconnu leurs méfaits devant le tribunal d'exception, dont les arrêts sont sans appel.

– … C'est une méprise effroyable, Excellence. Comme vous le savez, Chantal n'habite pas ici.

– Mais il est chez lui. Deux de ses supporters, membres éminents du tribunal, étaient d'ailleurs présents, à titre strictement personnel, à votre premier concert…

– … Ils auraient pu plaider en sa faveur, établir son innocence !

– Vous déraillez comme votre tournée, cher monsieur : c'est à l'accusé de prouver son innocence et non aux comptables de la justice. Votre bonhomme a retrouvé de vieux complices en revenant à ses sources… »

Étourdi par cette révélation, l'imprésario clignote des yeux pour marquer le coup. Le manitou, conscient de l'effet foudroyant de son annonce, se lève pesamment et contourne le bureau. L'œil mauvais et l'index pointé sur le visiteur, il s'approche, courbe l'échine et, d'une voix étrangement basse, canonne :

« Les poches de votre créature débordaient, lors de son arrestation, de grosses coupures provenant de braquages ! Ce n'est quand même pas vous qui les lui avez refilées au titre de cachet !

– Ah, non ! Excellence, s'écrie Shambuy en repoussant sa chaise, on est clean dans l'orchestre. En plus, Chantal ne pouvait participer, matériellement parlant, à un quelconque braquage…

– Là n'est pas le problème…

– … Puisque nous sommes arrivés…

– Tout doux, tout doux ! rétorque le nabab en se redressant. La mauvaise graine a été repérée à votre concert. Pour entrer dans la salle, il lui a fallu payer… »

Le big manager, qui ne voit pas où le roitelet veut en venir, s'accroche à ses lèvres épaisses.

« Une fois dans la salle, la vermine s'est encore signalée en distribuant des grosses coupures à la clique. À toute la clique. Elle a encore récidivé au club, preuve supplémentaire qu'elle piochait dans un coffre inépuisable. Ce magot, comme ils ne cessaient de dire… »

Shambuy écarquille les yeux, craignant d'entendre ce qu'il redoute.

« Ces billets, disais-je, on peut les retrouver dans votre caisse, chez vos musiciens et – qui sait ? – peut-être dans vos poches. Cela s'appelle faire du recel. Et vous prétendez être clean ! »

Sonné, le big manager avale la tisane amère, puis pare au plus pressé.

« Je m'engage à restituer les billets provenant, comme vous dites, de braquages. Encore faudrait-il que Votre Excellence veuille bien m'en donner les caractéristiques. Mais que faire pour sortir Chantal de cette embrouille monstrueuse ?

– Vous n'avez toujours pas compris ? s'étonne le nabab, un tantinet sarcastique. La racaille ne va plus jamais troubler la quiétude des honnêtes gens.

– Je voudrais bien comprendre, Excellence…

– Décidément, la pilule ne passe qu'au forceps

avec ces satanés musiciens: votre homme et ses acolytes, jugés et condamnés, ont été passés par les armes. Dès le lendemain. »

Carnet noir

PHILOMÈNE poussa un soupir au bas de l'escalier. Après un regard terrifié à la rampe, elle surmonta sa flemme et gravit les marches, les unes après les autres, l'air d'essuyer mille calvaires avec des sacs Monoprix. La bobonne n'avait pourtant rien d'une Nana-Benz, appellation des femmes d'affaires de Lomé, dont les formes opulentes, ajoutées au culte de la berline allemande, ont souvent dégonflé leurs consœurs d'Afrique centrale. Elancée et féline, partant, rompue aux danses acrobatiques usinées sous l'équateur, Philomène redoutait paradoxalement la montée depuis son emménagement, il y a sept ans, dans l'immeuble. Barbant.

Parvenue au premier étage, la flemmarde déposa ses achats sur le palier, souffla une bonne minute. Elle reprit sa montée au même rythme, sans forcer la note. Nouvel arrêt au deuxième, ensuite au troisième. Une fois devant sa porte, au quatrième étage, elle s'appuya d'une main contre le mur, totalement claquée, mais fournit encore l'effort surhumain de fouiller dans son sac à main, d'y piocher les clés, d'ouvrir. Onze heures pile. Stressant. Elle n'avait plus qu'à préparer le casse-croûte de ses deux mômes privés de la cantine. La nouvelle, débitée par son petit dernier, ne l'intrigua pas outre mesure.

« Maman, papa est mort ! »

Assis devant la télé, absorbé, Tony ne réagit pas à l'entrée de sa mère et ne réclame que tchi, pressant au contraire ses petits doigts sur la télécommande. À quatre ans, les jeux vidéo priment sur les flashes nécrologiques. Les sacs déposés sur le seuil, la mère balaya le séjour d'un regard anxieux, surfa sur le gamin, non sans refermer la porte d'un coup de patte brutal. Son œil à la téloche la mit sur le qui-vive : le gosse n'avait pas fauché son pater dans son jeu.

« Pourquoi tu dis ça, Tony ? rétorqua-t-elle, alarmée. Ton père est parti au travail.

– Ben ! reprit le mioche sans quitter des yeux le petit écran, y a un monsieur qui a téléphoné… »

La mère, qui venait de reprendre ses sacs de provisions, se figea à l'entrée de la cuisine. Elle déposa sa charge sur le parquet, relança le marmot.

« Quel monsieur a téléphoné et quand ?

– C'est un monsieur qui travaille à l'hôpital. Il a dit que papa est mort… »

Le cœur battant la chamade, Philomène fondit sur le gamin et lui arracha la télécommande, seul moyen de s'assurer de son attention. Qu'est-ce que c'était que cette histoire ? Romain, alias « le grand baobab », son mari, avait quitté l'appart, comme tous les jours ouvrables, à six heures du matin, pour rejoindre le chantier où il chinait. Ce chantier se déplaçait d'un coin à l'autre de la région parisienne, au gré des commandes arrachées par son patron, entrepreneur de bâtiment. Ouvrier spécialisé, Romain montait des échafaudages. Un métier à risques. Mais, après cinq ans d'équilibrisme au-dessus du sol, il excluait toute bourde de nature à l'envoyer dinguer sur la chaussée. Philomène ne savait pas exactement où il trimait, sauf qu'il pointait en grande banlieue. Deux correspondances en trois quarts d'heure de métro, une demi-heure de bus, Romain était censé débarquer à son travail entre sept heures trente et huit heures.

« Qu'a-t-il dit, ce monsieur ? insista la mère, de plus en plus affolée.

– Y'a demandé où t'étais, grognonna le bonhomme. J'ai dit que t'étais partie au Monoprix.

– Je t'ai déjà interdit de prendre le téléphone quand on n'est pas là ! T'es trop petit pour ça. Qu'est-ce qu'il a dit d'autre, le monsieur ? »

Un dring aux résonances de glas arracha la fumelle à ses certitudes. Appel annulé. Bizarre. Personne ne tube à pareille heure. Pétrifiée, ne sachant quel ancêtre invoquer, Philomène couva le poste de l'œil désespéré de celui qui attend une communication en PCV. Quand la sonnerie retentit peu après, elle fit un chut ! en tendant la télécommande à son fils. Mais celui-ci, ignorant le geste, vint se blottir dans ses pagnes. Toujours immobile, craignant d'écrouler son univers dès l'instant où elle décrocherait, Philomène fixa le turlu avec angoisse. Puis, à l'idée qu'une copine chercherait à la joindre, histoire de dire comment va-t-y ou de cancaner, elle sauta sur l'appareil. Le combiné soulevé d'une main nerveuse, l'autre serrant le gamin à l'épaule, elle s'entendit bredouiller :

« Allô !

– Bonjour, madame. Suis-je bien chez M. Makaya, Romain Makaya ? »

Les démarcheurs, rabatteurs et autres maniaques du biniou n'empruntent jamais ce ton macabre, pensa Philomène, démontée par la question et, du coup, désireuse d'en saisir le sens avant de réagir. Chauds, engageants, ils accrochent dès le premier abord. Le pigeon embobiné, infoutu de faire machine arrière ou de ruser, ça brode, entube, roule dans la semoule. Que voulait-il donc au grand baobab, ce blanc-bec ? Lui cloquer – sur l'air d'une oraison funèbre – qu'il avait gagné une salle de bains, une cuisine, un voyage aux Antilles ou un passage à *7 sur 7* ?

« Oui, finit-elle par lâcher d'une voix émue. Je suis sa femme. Qui est à l'appareil ?

– Monsieur Gravet, de l'hôpital Bichat. Service du légiste. C'est moi qui ai appelé tout à l'heure. Prenez votre courage, madame… »

Le visage de la jeune femme vira au noir cirage. Alors qu'un sentiment de malaise montait en elle, mille et une questions s'entrechoquaient dans sa tête, la mettant dans l'incapacité de poser la plus appropriée.

« Que voulez-vous ?

– … Avez-vous quelqu'un auprès de vous ? Un adulte, si possible. C'est important.

– De quoi s'agit-il ? lâcha-t-elle à bout de nerfs.

– Calmez-vous, madame. Vous comprendrez, j'en suis certain, la raison de cette insistance : votre mari est décédé ce matin. Son corps a été transféré à la morgue. Désolé de vous l'apprendre de manière aussi brutale… »

Le combiné s'échappa de la main de Philomène en même temps qu'elle hurlait. Elle tournoya dans la pièce, en battant désespérément l'air, se plongea les louches dans la crinière et s'arracha les cheveux.

Son seul soutien disparu, qu'allait-elle devenir avec trois mômes dans cette ville impitoyable ? Sans travail, comment allait-elle survivre, les prétendus amis, tontons, tantines et frères en Jésus-Christ s'avérant, par expérience, aussi étrangers que le quidam croisé dans la rue ? Comment prévenir les gens du village, là-bas en Afrique, de la catastrophe ? Avec quoi allait-elle rapatrier le corps, elle qui n'avait jamais rien mis de côté ?

Philomène s'écroula par terre en pleurant toutes ses larmes. Blotti dans ses bras, Tony vagissait par à-coups, non sans remâcher pourquoi sa maman chialait. Celle-ci demeurant sourde, le bout de chou chercha vainement son regard. Quand ses yeux finirent par intercepter ceux de sa mère, il lui sauta au cou et, de sa voix mielleuse de petit dernier, celle qui arrache sucreries et douceurs, lui marmonna à l'oreille :

« Dis, maman, si papa est mort, je pourrai jouer avec son mobile ? »

Philomène se remua à la minute. Le téléphone portable ! Romain en avait un, comme tous les mecs branchés de son style. Que n'y avait-elle pas pensé plus tôt ? Elle se rua sur le poste, composa le numéro. Aucune sonnerie. Mais le même bref passage dans le vide qui caractérise les appels lointains. Le disque s'enclencha aussitôt, la renvoyant à un répondeur vocal. Dépitée, elle ne laissa pas de message.

Peu après, elle recomposait le même numéro. Sans succès. Persuadée que son homme n'était plus joignable, parce qu'il gisait dans un tiroir frigorifique, le portable à ses côtés, déchargé, elle se résolut à se rendre à la morgue. En sortant sur le boulevard des Maréchaux, à deux pas de l'appartement, l'hôpital Bichat se dressait à quatre arrêts du PC. En temps normal, elle l'aurait gagné pedibus, pour ne pas lanterner à l'arrêt, mais les circonstances ne le permettaient pas.

Philomène arrangea vaille que vaille sa mise. Ses consignes dictées à Tony, elle se ravisa au moment de sortir : les deux écoliers allaient rappliquer. Tout en leur fricotant de quoi grailler, elle chercha son calepin afin d'alerter une cousine. Dans une situation comme la sienne, la présence d'un proche, outre son côté réconfortant, évite les actes de désespoir et permet d'ingérer le deuil. Sa recherche capota au bout de cinq minutes. Elle se tritura la cervelle pour retrouver le numéro de mémoire. Peine perdue. S'estimant victime d'une conjonction de faits inexplicables, peut-être bien d'un sortilège mijoté au pays, vu que sa dot n'avait pas été répartie entre tous les ayants-droit, ce qui avait mécontenté plus d'un, elle déboula en désespoir de cause dans l'escalier. Deux blocs plus loin, elle fusait dans un immeuble, fonçait vers l'arrière-cour et montait les marches deux à deux jusqu'au deuxième. Hésitation avant de frapper à une porte. Celle-ci ouverte, elle tomba en pleurs dans les bras d'une femme de forte corpulence et, entre deux sanglots, lui fit part de son infortune. Les deux ménesses se précipitèrent vers la petite ceinture.

Peu après, elles sillonnaient les couloirs, puis les allées du centre hospitalier, à la recherche du funérarium. Digne, Philomène digérait son deuil, tandis que Thété, son accompagnatrice, s'orientait dans le dédale et la guidait. Jusqu'à ce qu'elles surgissent sur une courette où des hommes et des femmes, tous blancs et de noir vêtus, allaient et venaient, en parlant à voix basse, signe qu'ils vivaient des moments pénibles. Un employé accueillit les deux paumées. L'objet de leur visite connu, il les pria d'attendre dans une pièce.

Cette pièce ne portait aucune décoration. La lumière pâle lui prêtait une ambiance impersonnelle par trop flippante. Posés aux quatre angles de la salle, des bacs de fleurs semblaient orner des tombes, procurant au visiteur l'impression désagréable de violer une sépulture. Un silence lourd, oppressant, confirmait cette affreuse impression de profanation.

Le regard embué de larmes, Philomène réalisa soudainement sa situation : elle était devenue veuve. À temps plein. Avec son lot de renoncement, de fragilisation, d'humiliations et d'obligations coutumières archaïques. Qu'avait-elle fait pour subir ce sort ?

Son estomac se contracta au fil de la longue attente. Sans qu'elle s'en rende compte, une boule s'insinuait en elle et se logeait dans sa gorge, la mettant à deux doigts d'exploser. En même temps, une frousse irrépressible l'envahissait. Elle allait voir le corps sans vie de son homme, le toucher, le couvrir de larmes. Dans quel état allait-elle le découvrir ? Intact, en bouillie, démantibulé, en décomposition ? Qu'est-ce qui avait pu causer la mort du grand baobab ? Aurait-il succombé à un arrêt cardiaque, à une hémorragie cérébrale ou des suites d'un accident de travail ? Comment peut-on mourir quand on pète de santé ? Tout en ruminant ces questions, Philomène sentit la froideur de la pièce la gagner et se mit à trembloter.

L'employé revint chercher les deux femmes et les conduisit dans une chambre funéraire. Alors que rien ne l'avait laissé présager, les ménesses, le seuil à peine franchi, braillèrent d'un seul coup et s'arrachèrent les cheveux, comme si, à la seule vue de la salle, quelque chose s'était détraqué dans leur organisme. Elles sautillèrent sur place, mine d'exécuter une danse rituelle, soulevèrent les pagnes et les blouses, pleurèrent à chaudes larmes. L'employé, qui avait pris soin de rester en retrait, détourna pudiquement le regard : les gens traduisent leur peine selon des gestes et des jérémiades propres à leur culture, mais la douleur, elle, reste la même. Les deux Africaines s'arrêtèrent net à deux pas du corps étendu et mirent un bémol à leurs plaintes. Souffle coupé et regard fixé sur le mort, elles se dévisagèrent un moment, n'osant en croire leurs yeux, puis, sans mot dire, reculèrent en cata.

« Ce n'est pas le grand baobab ! murmura Philomène en jaillissant dehors.

– C'est pas le père de Tony ! » renchérit Thété à l'adresse du croque-mort.

Brève mise au point sur le pas de porte. Les deuillants de la courette, intrigués par l'arrêt subit de la séance de pleurs, se muèrent en ethnologues, provoquant la gêne de la blouse blanche. Le croque-mort ruina leur vocation en entraînant ses clientes au bureau.

« L'identité du défunt ne fait pas de doute, argua-t-il en sondant les visiteuses. Il s'agit bien de Romain Makaya. Il ne peut y avoir de méprise, car c'est le seul Black décédé cette nuit...

– Si mon mari, qui s'appelle aussi Romain Makaya, est mort, montrez-moi sa dépouille... »

L'employé proposa illico une autre séance d'identification. Après avoir disparu par une porte, il réapparut derrière un guichet avec les effets personnels du mort. Philomène affirmant ne reconnaître aucun de ces effets, l'homme consulta un dossier. Son commentaire fut on ne peut plus clair :

« Le défunt s'appelle bien Romain Makaya. Et habite 356 *ter*, rue Championnet. Mon collègue a appelé, tout à l'heure, au numéro de téléphone qu'il avait donné lors de son admission à l'hôpital…

– Mon mari est parfois patraque, reprit Philomène, mais n'a jamais été hospitalisé. Nous habitons bien au numéro indiqué, malheureusement je ne connais pas ce cadavre-là !

– Eh bien, mesdames, déclara l'employé, confus, je ne sais comment interpréter cette situation. On va faire une enquête. Désolé de vous avoir dérangées… »

La fin de journée fut longue à venir. Dans son espoir de vivre le dénouement de la salade, Thété ne regagna pas son domicile et tint compagnie à sa copine, faisant montre de solidarité jusqu'à lui préparer le repas du soir. À deux reprises, Philomène avait tenté de joindre son mari. Son téléphone mobile restant muet, elle s'était résignée à attendre son retour, vers dix-huit heures. Nul doute qu'il ferait la lumière sur cette histoire de fous. Il était impensable qu'il ignore l'existence d'un homonýme qui, selon toute vraisemblance, proviendrait du même trou que lui. Quant à l'adresse présumée du macchab, elle préférait, du moins pour l'instant, ne pas y penser.

L'appartement reprit son animation habituelle, après dix-sept heures, avec le retour des deux écoliers. Thété se rappela à cet instant son devoir de mère et s'éclipsa. À son retour, elle rejoignit sa copine, toujours abattue, et s'appliqua à la rassurer. Les choses n'allaient pas tarder à s'expliquer. Qui sait si, le mystère élucidé, elles ne se reprocheraient pas de s'être fait du tintouin pour rien ? Le téléphone résonna à six heures pile, prenant tout le monde de court, sauf Tony :

« C'est mon papa ! »

Philomène fondit sur l'appareil. Le combiné à peine collé à l'oreille, elle se détendit sur-le-champ et, le visage radieux, affranchit la maisonnée avec sa question.

« Romain, c'est toi ? Où étais-tu passé ?

– Où veux-tu que je sois pendant la journée ? Je bosse, moi, ma belle. Pourquoi cette question ?

– J'ai essayé de te joindre, mais ton portable n'était pas accessible.

– T'es parfois une vraie cruche, Philo ! Je vais quand même pas tuber du boulot. Sinon le patron me vire pour concurrence déloyale. Qu'est-ce qu'il y avait de si urgent pour appeler ?

– Une embrouille indigeste. Très long à expliquer. Quand est-ce que tu rentres ?

– Dans une ou deux heures. J'ai un rencard... »

Philomène ne pouvait mariner. Et lui rapporta le film, selon l'ordre chronologique vécu. Son mari l'écouta en silence, manifestant de temps en temps sa présence par des « C'est pas possible ! » ou des « Non, pas ça ! ». Quand elle eut fini avec sa relation, il lâcha d'une voix désabusée :

« Mon rendez-vous est annulé. Je vais demander des comptes à ce salopard.

– Comment vas-tu demander des comptes à quelqu'un qui n'est plus ?

– Réfléchis un peu, Philo ! Je vais secouer son cousin qui m'a mis dans ces mauvais draps.

- Quel cousin ?

– Ce merdaillon, bon sang. Je vais te le secouer. Me faire ça, à moi ! À plus ! »

Romain était quelqu'un d'impulsif. Il réagissait à la minute, en paroles ou en actes, préférant regretter sa précipitation après coup plutôt que ronger son frein sur le coup. Maintes fois, il s'était mordu les doigts. Trop tardivement pour rectifier son tir.

Il reprit le métro dans le sens opposé, débarqua rapidement chez Flavien. Les deux gars ne se fréquentaient pas. Ils se connaissaient néanmoins depuis une éternité, pour s'être retrouvés, à plusieurs reprises, à des soirées de deuil ou de fête de leur communauté d'origine. Ils avaient en outre des amis communs.

Flavien créchait dans un squatt inhabité, dans une ruelle de l'Est parisien. De l'avis de ses compères, Flave, comme tout le monde l'appelait, était une référence. En quête d'un faux papier, d'un smoking, d'une nana, d'un contact, d'un coupon de transport ou de toute chose amère à acquérir, il fallait juste lui payer sa boutanche de Valstar, la méchante brune d'un litre, et le laisser agir. Flavien bénéficiait, pour ce faire, de deux atouts : sa petite taille et son bagou. Si sa petite taille lui permettait d'opérer sans attirer l'attention, en revanche, sa tchatche servait à entortiller. Les gonzesses, ploucs et traficoteurs de la tribu en savaient quelque chose. Au jour et à l'heure convenus, le microbe, sa tronche ingrate rayonnante, honorait son engagement, moyennant un pourboire proportionnel au coût de la chose commandée ou à son investissement.

Romain surprit le rase-bitume dans sa niche, lézardant devant la téloche, en train de se sculpter une gueule de bois. Sept bouteilles de Valstar jonchaient la moquette crasseuse, au-dessous de la table basse. Le visiteur en conclut que le filou devait en tenir cinq autres au frais, histoire de les écluser à l'heure H pour déclencher le coma éthylique.

« Ton cousin, qui est hospitalisé depuis trois semaines, a clamsé ce matin, attaqua Romain. Et t'es là à picoler, comme si tu craignais une rupture de stock !

– Cool, man, cool : j'aime pas cette musique-là. Déjà que tu rappliques sans rendève, comme les keufs, et sans t'asseoir. Où est ton problème si ce broussard se laisse crever ? C'est pas toi qui l'enterres, que je sache !

– Décidément, s'emporta Romain, tes neurones sont gâtés par la Val. Ton cousin est mort sous mon identité, parce que j'ai commis la gaffe de lui prêter, sur ton insistance, ma carte d'assuré social, et tu joues au finaud ! De plus, tu m'avais caché son état désespéré…

– Calmos, man. Où est le cactus s'il canne à l'hosto ? Y faut bien préserver leur boulot, aux croque-morts ! Tu crois pas qu'y a trop d'exclus ? »

Son credo affirmé, le rase-bitume tenta de se relever, puis retomba sur le canapé-lit avant de s'en extraire péniblement. Le visiteur suivant son mouvement, curieux de savoir ce qu'il allait inventer, Flavien se dirigea vers le frigo et chopa une autre bouteille. Son remontant à la main, il regagna sa place en grognant :

«Pourquoi en faire un plat, man? T'as qu'à repriquer ta carte et basta!

– T'as pas l'air de piger, Flave. Je suis désormais considéré pour mort à la Sécu. Impossible donc de faire soigner mes mômes et ma meuf. Pis, étant donné que mon patron va continuer à raquer les cotisations, la Sécu finira par lui signaler, preuves à l'appui, que j'ai déjà lâché la rampe. Je vais perdre aussi mon job. Et c'est pas toi qui vas nourrir mon clan. Tu vois le topo?

– Cinq sur cinq, man, cracha le trouduc en sifflant sa brune. On reparlera de cette chierie quand je serai remis du choc, okay? En attendant, tu vas me faire le plaisir de dégager.»

Le microbe se remua du canapé avec l'intention de reconduire l'intrus. Trahi par la tournure du tête-à-tête, le grand baobab, qui considérait le bout d'homme de haut, cogita sur l'attitude à prendre. Il lui fallait négocier pour obtenir une solution buvable. Après tout, on ne traite pas avec les crapules de la même manière qu'avec les cols blancs. Au fait, se surprit-il à se demander, qu'espérait-il en venant voir le filou? Qu'il lui rende sa carte ou lui en trouve une autre? À quel nom? Sa situation n'était-elle pas compromise? Officiellement mort, il n'avait plus qu'à plonger dans la clandestinité.

Entre-temps, le rase-bitume essayait d'écarter ses pattes en vue de se donner une allure de Rambo. Il y parvint après moult tentatives foireuses et, malgré son équilibre précaire, pointa l'index sur le rabat-joie, mine de lui reprocher sa mauvaise foi…

« Dis donc, man, je les avais allongés pour ce carton merdique !

– Combien t'as payé et quand ? » fulmina le grand baobab, hors de lui.

Son gauche se détendit à l'instant, décochant deux crochets successifs. Le premier fracassa la face de rat, en provoquant une saignée nasale, tandis que le second projetait l'avorton parmi ses cadavres.

Ramolli par les marrons imprévisibles, Flavien resta un moment sans réaction. Le voyant à ses pieds, réduit à sa plus simple expression, Romain renonça à la branlée en hochant la tête. Sous-merde.

Le trouduc ricana tout à coup comme s'il venait de disjoncter, s'essuya le mufle. Il examina ses mains souillées, crachota une vacherie. Sans que Romain y prenne garde, il roula sur lui-même et sauta sur ses pattes. Le balèze exécuta un mouvement de côté. Mais le rase-bitume, plus véloce, plongeait à ses pieds, les happait et tirait, basculant le trouble-fête sur la moquette. Soufflé, infichu d'expliquer ce qu'il foutait sur le tapis cradingue, le grand baobab voulut se relever, offrant son crâne à la merci du microbe. Celui-ci saisit l'aubaine à la seconde. Il rafla un cadavre et le fracassa sur la citrouille en gardant le goulot dans sa paluche. Romain retomba en arrière, les mains sur la boule fendue, et beugla dans sa langue maternelle, lui qui bassine ses paincos avec la langue de Voltaire. Son challenger ne le laissa pas brailler le hit-parade des lamentations. Les yeux fous, injectés de sang, il revint à la charge, plus que jamais décidé à faire un carton. Ses petites jambes calées de part et d'autre du gaillard, il poussa un han ! féroce, perfora le bidon exposé à sa vue, arrachant un cri terrifiant à sa victime. Il enfonça une nouvelle fois son arme dans l'abdomen, récidiva. Un bêlement s'échappa du blessé alors que le microbe, sa revanche prise, retirait le goulot ensanglanté dans un rire démoniaque. Le visiteur porta les mains à son bas-ventre, recueillit les boyaux et les considéra d'un air incrédule. Après un regard suppliant au charcutier, il s'affala dans une mare de sang.

Black and White

COMME LES FOIS précédentes, Leta retrouve le même emplacement pour garer sa voiture. Il fait son créneau, arrête le moteur. Scrupuleux, avec un rituel de caméléon, il ne descend pas tout de suite mais observe les alentours. La cité reste fidèle à elle-même, calme, froide, comme le temps peut l'être par une nuit d'hiver. Lumières partout éteintes, rideaux fermés. Deux perrons, situés aux antipodes, sont cependant éclairés. Sans doute un oubli.

Cet examen fait, Leta consulta la montre de bord : 23 heures 17. Encore treize minutes à poireauter, songe-t-il en se voyant débouler à son rencard, comme d'habitude, à l'heure pile : une manie acquise durant sa jeunesse, après la lecture du *Comte de Monte-Cristo*. Singée par un quadra qui s'évertue à la rappeler, la ponctualité maniaque d'Edmond Dantès amusait la galerie. Leta le savait. Il en tirait même de la considération.

Cinq minutes avant le moment fatidique, il sort de la voiture et fonce, à grandes enjambées, vers sa destination, à quelque six cents mètres de son guet. Costaud, le corps athlétique, Leta porte un blouson de cuir et chausse des baskets. Pour ne pas réveiller les chats qui dorment, aime-t-il charrier. Le portillon n'est pas fermé, le seuil est arrosé par un réverbère. Après de petits coups discrets à la porte, celle-ci s'entr'ouvre. L'arrivant se glisse dans l'entrebâillement, referme la porte en notant que les rideaux sont fermés. Il enlace aussitôt la blonde dans une folle étreinte, l'entraîne en titubant vers le canapé, où ils s'écroulent. La nymphe roucoule, piaille, pouffe en sourdine et, ses doigts de fée mis en branle, entreprend de dégrafer le blouson du julot. Celui-ci, loin de rester inactif, bécote la joconde, la reluque, le re-bécote, éprouve son contentement sans mesure. Toute passion secrète reste volcanique. Sachant ce qui va se passer s'il n'écourte pas la séance, Leta se libère en douceur, retire son blouson et s'en va le déposer sur une chaise. Quand il se tourne vers la joconde, celle-ci s'est levée et tend l'ouïe.

« Qu'est-ce qu'il y a, Ginette ?

– T'as rien entendu ? Une voiture vient de s'arrêter ! »

Leta hausse les épaules et se dirige vers un meuble. Il y chope une bouteille et s'offre un double whisky, en alléguant la baisse des températures. Le verre sifflé, déposé sur une table, il constate que la méduse, encore plus raidie, fixe la porte. Au même moment, la portière d'une bagnole claque et celle-ci démarre.

Leta est troublé à son tour : il n'avait pas remarqué de circulation en arrivant. De plus, un square se dresse devant le pavillon, excluant toute descente nocturne à cet endroit. Par ailleurs, Ginette, divorcée de fraîche date, vit avec ses enfants. Ceux-ci sont partis la veille en vacances et ne vont pas rappliquer de sitôt. Son ex, un bonhomme excentrique, n'est pas non plus du genre à emmerder le monde. Qui pouvait donc venir troubler leur tête-à-tête ?

Fort de son physique de malabar, Leta s'avance vers la porte d'un pas décidé. Alors qu'il pose la main sur la poignée, son sixième sens l'en dissuade. Un bref instant, il flotte dans le coaltar. Puis percute le judas. Son œil à peine collé à l'ouverture, il recule en vitesse. Ginette, encore plus troublée, le fixe d'un regard interrogateur.

« La vache ! s'exclame le quadra, les yeux exorbités, en réduisant son volume vocal. Comment a-t-elle fait pour venir jusqu'ici ?

– C'est qui ?

– Brunette, ma femme. On a eu une dispute épouvantable. Elle a appris, je ne sais trop comment, notre liaison… »

Inconsciemment, Leta s'assure à nouveau que les rideaux sont fermés et les lumières extérieures éteintes. Il prend de même l'initiative d'éteindre le lustre, laissant la pièce baigner dans la lumière du couloir. La réaction ne se fait pas attendre. Brunette, voyant le couvre-feu décrété dans la maison, cogne à la porte en vitupérant.

« Inutile de faire ton malin là, Leta. Je t'ai vu entrer de mes propres yeux. Sors de là. Ta sale putain là, elle ne va pas jouir cette nuit. Je vais la mloumlou[1] pour lui apprendre à voler les maris d'autrui. Sors de là, Leta ! »

Ginette, déréglée, se retire dans le couloir. Le sordide de la situation est tel que, consciente de sa responsabilité, elle tremblote de rage et d'impuissance. Prise la main dans le sac, elle se sent ridicule, désarmée, dénudée. D'une voix inaudible, elle lance toutefois à son amant :

« Elle est complètement hystérique, ta femme. C'est Negrita qu'elle aurait dû s'appeler et non Brunette. Fais quelque chose, sinon elle va alerter le quartier ! »

Leta, piqué au vif, décoche à la méduse un œil réprobateur. Sa salive ravalée, il trépigne d'indécision, puis accouche d'une voix sans aménité :

« La meilleure chose à faire, à mon avis, c'est d'alerter les flics. Ma femme a une peur bleue des uniformes.

– Tu parles des flics ! Autant placarder nos ébats sur les murs de la cité. T'as pas encore compris que ce quartier est gagné à l'extrême-droite ? »

Leta, qui n'en peut plus de souffler le chaud et le froid, explose à cette réplique :

« Cela ne t'empêche pas de t'offrir de petits plaisirs, à huis clos, avec un immigré, black de surcroît !

– Commence par dresser ta femme au lieu de

1. Poignarder (en abidjanais). (N.d.A.)

chipoter, s'énerve la blonde sans hausser le ton. On ne se conduit pas de cette manière dans un pays d'accueil. Où se croit-elle, celle-là ?

– Tu me provoques, Ginette, grogne Leta en la rejoignant dans le couloir. L'hospitalité est une disposition d'accueil qui ne s'acquiert pas. N'est pas hospitalier qui s'en vante et qui, par ricochet, la dénature. Il n'y a plus d'hospitalité quand on ressasse son état à l'étranger, ce qui est une manière peu cavalière de l'inviter à débarrasser le plancher. Dans toutes les traditions, l'étranger décide lui-même du jour de son départ.

– Arrête cette logorrhée indigeste à l'abbé Pierre et ramène ta folle chez le psy ! »

Dehors, Brunette martèle la porte en vociférant contre la paire adultère. Leta rentre à pas feutrés au salon, où il récupère son blouson avant de rappliquer au PC de campagne. La voix grave, il confie à la nymphe que si, d'aventure, il pointait le nez à l'extérieur, il ne se retiendrait pas d'infliger une correction à sa meuf, bien qu'elle soit dans son droit, du moins dans la conception africaine du couple, ce qui risquerait d'ameuter le quartier. En revanche, si elle sortait, elle Ginette, sa présence dégonflerait la gendarme.

« Tu me vois affronter cette folle ? Avec son couteau, un malheur est vite arrivé. »

Leta glisse une main dans son blouson, en sort un pistolet automatique. Devant le regard ahuri de sa dulcinée, il lui avoue ne jamais s'en séparer. Une précision toutefois : les vigiles sont interdits de port d'arme. Mais, pour avoir contourné la réglementation en la matière, il peut trimbaler son arquebuse sous certaines conditions.

« Je connais bien Brunette. Comme beaucoup d'Africaines, elle croit que la femme blanche, physiquement molle, compense sa faiblesse par le recours à une arme à feu, notamment dans un cas comme celui-ci.

– Ça sort d'où, ce préjugé raciste ?

– Il est véhiculé par vos films, qui font l'apologie de la femme fatale : elle te flingue même pour une toux non programmée ! Mais revenons à nos moutons : il suffit que Brunette te voie avec le pistolet pour mettre les adjas.

– Mais, mon chéri, je ne sais pas tirer !

– Qui te demande de tirer ? Tirer d'ailleurs sur qui ? Pour que je me retrouve avec un macchab à rapatrier sur les bras ? Voici mon plan : tu sors, j'allume une minute pour qu'elle ne se fasse pas d'illusions et, tu peux me croire, elle va cavaler à la vue du pétard.

– Et si elle résiste ?

– Impossible. Grande gueule mais froussarde. Elle est même capable de te supplier de me prendre en location !

– Je suppose que tu plaisantes !

– Bien sûr. »

Leta montre à son amie comment utiliser l'arme en cas de légitime défense. Il ne l'affanchit pas, mais prend soin de caler le cran de sûreté. Ginette siffle un whisky, renonce après coup à la bagarre. Trop dangereux. Ses enfants à élever. Une réputation à sauvegarder. Le quartier à ménager coûte que coûte.

Dehors, Brunette menace de maintenir son siège tant qu'elle n'aura pas lardé la toubabesse.

« Culottée, celle-là, narre-t-elle à un auditoire invisible. Une vraie salope. Elle se permet d'appeler mon mari là à la maison. Et ce bon à rien, qui n'osait pas causer à une vraie femme chez nous là-bas, prétexte d'aller au travail pour venir ici. Moi, Brunette, fille de mama Ana et de papa Didier, je ne donne pas mon mari en cadeau de Noël. Sors de là, Leta ! Ça caille dehors et je finirai par geler ! »

Le Black fixe Ginette avec perplexité :

« Tu ne m'as pas dit que tu avais téléphoné chez moi.

– Comment as-tu alors su qu'on avait rendez-vous ?

– C'était chose convenue, il y a trois jours, lors de ton passage au supermarché où je bosse... C'est donc toi qui lui as mis la puce à l'oreille !

– Je lui ai demandé si tu étais là, en me présentant sous un faux nom, et l'ai priée de te rappeler notre rendez-vous. Y a pas de mal à ça. Elle m'avait paru coulante et digne de confiance...

– Pour mieux te tirer les vers du nez. T'as vu le résultat ?

– Après tout, on ne va pas continuer à se cacher, comme des voleurs...

– Et tes directeurs de conscience, as-tu pensé à eux ? Que vas-tu leur dire ? »

Puis, comme dans un monologue, le mastard poursuit :

« Après ton coup de fil, Brunette me fait sa crise, sans pour autant m'avouer que tu avais appelé. Dès qu'elle me voit sortir, elle se doute que les coïncidences n'existent pas, saute dans un taxi et me file le train. Quand je me gare à l'endroit habituel, elle fait arrêter son tac hors de vue, repère la piaule où j'entre et vient s'y faire déposer. Simple. Bête. Efficace. »

Ginette avale un autre verre de whisky. Retapée, elle prend son courage à deux mains, arrache le pistolet et sort. Dès qu'elle contourne le mur de derrière, elle tombe sur la meuf qui s'avance à sa rencontre, drapée dans des pagnes, et braque la seringue. Leta, qui gère la crise derrière un rideau, allume à ce moment précis, puis éteint, obtenant sur-le-champ l'effet escompté : à la vue du pétard pointé sur elle, Brunette fait machine arrière. Une détonation éclate dans la foulée, obligeant Leta à rallumer. Brunette, d'abord étourdie, esquisse une grimace de douleur, puis s'effondre d'une masse. Tourneboulée par la tournure de la promenade de santé, Ginette rentre en catastrophe. Pour se buter à Leta à l'entrée de la cuisine.

« C'est quoi, ce coup de feu ? braille le vigile en arrachant le pistolet. Tu ne me l'as pas butée ! »

Le Black hurle en fondant sur la morte, son arme à la main. Un deuxième coup de feu siffle à ses oreilles alors que, plié en deux, il chiale devant le corps sans vie de sa femme. Leta se jette à la seconde par terre, braque le pétard sur le pavillon d'à côté. Deux minutes passent. Soudain, il perçoit le reflet d'une fenêtre qui se referme à l'étage, localise le tireur fou, saute sur ses pieds et presse la détente. Tintin. Le temps de débloquer le cran de sûreté, il voit le feu craché et tombe, mortellement atteint. Crime passionnel, titre, le lendemain, une presse innommable.

TABLE